辫子姐姐给你
迸出美好眼泪
和欢笑的感人阅读

神奇女生祝如愿

辫子姐姐
心灵花园
关爱成长
呵护心灵

郁雨君 作品

霍泳竹

赠

明天出版社

如果一本正经地介绍，就这么说

大家好，我的名字叫**郁雨君**

"花衣裳"作家**辫子姐姐**

《少女》杂志主编雨君姐姐

被女生**同化**的人，和她们同呼吸，共命运的人

写的每一本书都和**成长**息息相关，温暖过无数透明女孩心——《小·桔屋》、《呆呆向前冲》、《男生米戈》、《边走边爱》、《小·耳朵去天堂》、《十三岁女孩》、"亲爱哥哥系列"、"辫子姐姐梦工场系列"等30多本

为男生女生写作到底，是我一生的美丽口号

希望读了我的书的你，能够感受**感恩**长大的每一天

不过我更喜欢这么介绍自己：

我是**辫子姐姐**。

是梳麻花辫子的人，**辫子老长老长**老长，已经超过腰啦，厉害厉害！

是眼睛和嘴巴都很大的人，**笑起来**要露出八颗以上的牙齿，灿烂灿烂！

最喜欢**想入非非**的人，不管白天黑夜，老是做梦啊做梦，过分过分！

最喜欢喝鲫鱼汤，最喜欢**戴耳环**，好玩好玩！！

最喜欢东看看西兜兜，

最喜欢牛仔裤。有一条**低腰牛仔裤**，膝盖上缝了1022颗小石头、小珠子，臭美臭美！

如果一只**鞋子**走了，
一只鞋子哪怕找遍每个**角落**
也要**走到**另一只鞋子面前，

狠狠地说，
"让我们在一起，
再也不要分开了！"

目录

灰尘里也有一个
亮晶晶的世界

　　一百多年前，有个叫王尔德的英国人说："浪漫是有钱人的事，穷人只需要实际和有用就好了。"对无忧无虑的小孩们来说，这句话是不算数的。至少正在看这本书的你们就可以站起来反驳他："有些东西不用花很多钱，一样很好玩。"

　　但是，平凡人家的生活的确到处落着灰尘。令他们烦恼的琐碎事情太多了，不如意的事情也太多了，好像永远都解决不完，所以他们的脸上常常露出忧郁的神情，就像蒙了一层灰。

　　这个故事里的小姑娘祝如愿，就生活在一个落满人

间灰尘的最普通不过的家庭里。我们一边读，一边忍不住要为她担心：她的梦想太美好也太天真，想实现本来就很难，加上她的爸爸没有钱，更不是一个特别能干的人，会做的事只有木偶表演，一点儿也不实用，看样子是没办法给这个可爱的小姑娘安排那种快乐又完美的生活了。

也许，祝如愿将像大部分的女孩一样，渐渐失去那张会发光发亮的小脸庞。也许，她现在散发的那股自信和神气，很快就将被贫寒的生活打败，变得没精打采，在人群中一下子就被淹没，看也看不见。

很多女孩都是那样长大的，所以即使真的变成那样，也没什么大不了吧。

但是，我们总忍不住幻想：世界上会不会有一个神奇的女孩是例外？她永远能出人意料地破解那些难题，永远有用不完的能量，永远不对任何困难气馁，永远用尽全力去争取，永远相信乌云只是暂时路过，永远能在最后一刻实现愿望。

然后，我们幻想自己也能成为那样的人。

读完这个故事，我想你一定会发现，这个叫祝如愿

的女孩是怎样神奇地把看上去很难的事——解决，最后找到属于自己的彩虹乐园的。

如果让你选择，在不食人间烟火的玻璃房子里打扮得美美的，当一个闪闪发亮的小公主，或者在数不清的困难面前勇敢地磨练自己，最后焕发出钻石一样的光芒，哪一种更让人向往呢？聪明的你一定有自己的答案。而我想说的是，童话里亮晶晶的世界虽然很美丽，但是只要你愿意，就在你身边，就在你自己的家里，就在令你难过和生气的落满灰尘的真实生活里，照样能找到一个亮晶晶的世界。

（淘淘）

　　妈妈是个急性子的天使，把哇哇大哭的我交到爸爸手里，一转身就迫不及待地飞到天堂去了。

　　还好，妈妈在飞去天堂以前，和爸爸一起积极开动脑筋，给我起了个很棒的名字叫祝如愿。他们希望只要我心有所想，最后都能如愿以偿！

　　爸爸说，要是我每个新年都许一个愿：我会很乖，我会很健康，妈妈有空的话就来看看我吧。妈妈也许真的会飞回来看我。

　　嗯，到了那个时候，我可要紧紧抱住妈妈，使劲亲她，然后我就可以看到妈妈露出那种清澈又灿烂的笑容。

爸爸说，妈妈的笑容可以把所有的伤心都融化掉。

从稍稍懂事的三岁起，每个新年我都会许下这个愿望。可是妈妈一直没有来看我，大概她真的很忙吧。

"妈妈在忙些什么呢？"我问爸爸。

爸爸说："她忙着飞来飞去，用她的仙女棒点点点，让人们的眼泪都长出翅膀，嗖嗖嗖飞离他们的脸庞。"

在六岁的时候，我许愿的时候拐了一个小小的弯。我偷偷地说，除了妈妈，最好再给我一个哥哥吧。为什么会再加上这个更加贪心的愿望，等我在后面有机会再告诉你吧。

六月的一天，天气非常热。一场语文考试过后，大家都热得睡不着午觉，一窝蜂挤在学校的楼道里玩捉迷藏。

几轮"石头剪子布"过后，剩下了我一个负责抓人。蒙住眼睛后，眼前一片黑暗，我好像沉进了游泳池里，东一把西一把胡乱地抓呀摸呀，到手的只是一把把空气。

　　"我知道你们在哪，等着，等着！"我呼呼喘气，扶着楼道一侧的墙壁，竖起耳朵仔细捕捉四周的风吹草动。

　　哪怕谁放个屁屁也好呀！一个人站在那里，什么都看不见，听到的只有自己的喘气声。在那一瞬间，好像全世界只剩下你一个人，孤单到可怕。

　　"马上会有人乖乖送上门的，马上，立刻！立刻，马上……"我默默祈祷。

　　这么一想，真的有一个人大模大样走过来啦。我顺手一抓，哈，她好乖哟，没有尖叫，也没有逃跑，静静地站在原地。

　　我先摸了摸她的腰，肉鼓鼓的，还挺粗，我两只手都环不过来呢。

　　她不自在啦，开始扭来扭去。

　　"不许动，胖妞，我马上就能知道你是谁！"我凶巴巴地喝一声，紧紧捉住她的手。

　　手背胖乎乎的，热呼呼的。

　　"巫娜，你以为把爪子搓热了我就不认得你了吗？"我嘻嘻笑着，再去一根根捏手指。

咦？指腹上硬硬的，像老茧。巫娜的小胖爪子可嫩呢，而且冬暖夏凉。

"好老的手，一只老手！"我脱口而出，蒙在眼睛上的手帕松落了。

"哎呀！"我失声大叫，头一缩，立刻甩开了手。

那只胖爪子，居然是校长的！环顾四周，那帮家伙早已不知去向。

我脑袋嗡嗡的，刚想转身跑，校长弯下腰捉住了我的双手："老手？正好，来解释下'老'的含义。"

喔，这不是刚刚考过的语文题目吗？

"不嫩的，有老茧的。我没有写'有老茧的'，会不会扣分？"我急切地问。

校长点头，又摇头："不对，再想！"

校长是市里的特级语文老师呢。

"那老手，老手就是打游戏打得好的人！"我马上又有灵感啦。

爸爸手机里的贪吃蛇已经被我打爆啦，连爸爸都打不过我啦。我就是一直打一直打，打得烂熟烂熟。它脑袋没动，我就知道它转去哪个方向，不用通过大脑中枢，手指就知道动上、下、左、右哪个键了。

"也对，也不对！"校长脸上笑眯眯的，"游戏打得好的人，只是老手中的一种。"

"那我还是填号码的老手呢！"我马上补充。

其实我很烦做这种题目，也不太想知道最后的准确答案，因为那多半是死板板的，一点也不好玩。

"噢？"校长直起腰来，很感兴趣的样子。

"爸爸每次买福利彩票都让我填好号码再去投注点选。因为麦兜的妈妈麦太就老让麦兜填彩票号码。中了，晚饭妈妈就为麦兜煮半只鸡，鱼松炒菜心，还煎蛋给它吃。爸爸要是做番茄炒蛋给我吃，我就知道又中奖啦。现在，我吃番茄炒蛋都吃得要吐啦！"

我爸爸的爱好很简单，一木偶，二碟片，三福利彩票。

麦兜的动画碟片我和爸爸都很爱看。我们很喜欢这只黑眼圈的、贪吃贪睡的、看见烤鸽便笑得像个柿饼的小肥猪。我俩一边就着番茄炒蛋或者蛋炒番茄，一边看麦兜。看完麦兜，爸爸先把桌子擦干净，然后我趴在桌子上填彩票，他去厨房洗碗。

麦太对麦兜小猪说："妈妈只相信你抽的号码，也只买你抽中的号码。"

爸爸也对我说："爸爸只相信你抽的号码，也只买你抽中的号码。不过，爸爸还会比麦太多说一句话：'因为你叫祝如愿，是你妈妈送给我的神奇小姑娘！'"

"祝如愿，那么，"校长笑得有点害羞，在裤兜里掏呀掏，掏出一张白纸条，"你帮我填几个数字好吗？待会儿，待会儿我也去买买看。"

我点头，也有点害羞。我没有告诉校长，爸爸几乎每次都能中，可都是五块、十块的，最多的一次是五十块。结果，爸爸添了十块钱，带我去吃了一顿肯德基。

"笔！"我摊开手掌。

校长马上把一支笔放到了我手里，同时不忘记告诉我："是三十七选七。"

"明白，就是从一到三十七这些数字里选七个数字。"我马上让校长明白了什么叫做老手。

深呼吸，把那张小小的白纸贴在墙壁上，我一边开

始填数字，一边问："校长，你腰围多少？"

两只手都环不过来，我真的很想知道她腰到底有多粗。

"两尺……两尺……"她有点口吃。

我转头看她。

"好吧，"在我严肃的注视下，校长小声报出了一个数字，"两尺七。"

我打头填了"27"，继续提问："两尺七等于多少厘米？"

"九十厘米。"这次校长答得飞快。

我飞快地继续加上"90"，想想不对，马上改成了"09"。

巫娜的腰围我知道是两尺四，相当于八十厘米，然后我又填上了"24"和"08"。

还差三个数字。嘿嘿，要不再加上我的吧。本姑娘是一尺八的苗条女生，相当于六十厘米。我又填了两个数字："18"和"06"。

最后我一跺脚，填上"03"，嘿嘿，因为此刻我正位于三楼。

神奇女生
祝如愿

　　"27、09、24、08、18、06、03。"校长小声念了念这一串数字，揉揉我的头发，"好吧，祝如愿！祝我们好运！"

　　发语文考卷那天，我对着那道"解释'老的不同含义。老手，应该是：'不嫩的'"上面那个大叉叉发呆。

　　校长进门来，走到我桌子边，顺时针一圈又逆时针一圈揉我的头发，脸上的笑意一圈圈荡漾开了："祝如愿，我们中啦！"

　　捉迷藏那天，正碰上校长的儿子考雅思。心神不宁的校长碰上一个叫祝如愿的小姑娘，心头不由得一动。祝如愿又提到她是填号码老手，校长不由得心头又动了一动，就带着想为儿子祈祷好运气的想法去买了平生第一张彩票。

　　结果，三个"女生"的腰围加起来中了五百元呢，创造了我历史最高中奖记录！

　　校长征求我的意见以后，拿出来给我们班级的图书角添了一厚叠好看的书，包括一整套的麦兜书《尿水遥遥》、《完美故事》、《宁静声音》、《微小小说》……

　　我最喜欢《尿水遥遥》，那个买彩票的故事好像就是在这本书里读到的。

　　耶，我真是从脚趾头甜到头发丝！

　　全班都轰动啦！一个名字叫祝如愿的小姑娘，就此升级为全班同学的许愿精灵。

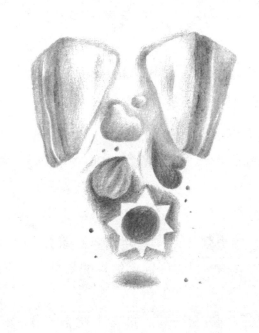

No.2
漂亮的秘密武器

刷啦刷啦刷啦，无数心愿飞向许愿精灵，我那些同学的心愿可真是五花八门啊！

我才读初一，已经快到170CM，60kg。我强烈希望自己不再长高长胖啦，我更加强烈希望自己可以变矮到160CM左右，体重45kg足够啦（我看到几乎所有的明星简历里，体重都是一模一样的45kg噢）。让我做一个小巧玲珑的女孩，付出任何代价我都愿意！（**巫娜**）

我想跟刘亦婷一样，能考上哈佛大学，不仅很爱学习，还很有名。（**成星颜**）

　　我恨死每个星期天都要写毛笔字了！我想要家里所有的笔杆全部断光光，笔毛全部掉光光！（**方可心**）

　　这个暑假有多多美女姐姐和我玩，将来我可以当个空少加上业余赛车冠军！（**刘天一**）

　　我要得到玄彬的签名，还要让他听我叫一声obba，就是哥啦。哈哈！（**许小·橙**）

　　我大包大揽，统统收下并答应下来，因为除了校长的彩票中奖让我对自己信心大增之外，我还有一件秘密武器。

　　那是一双漂亮的木头鞋子。鞋头翘翘的，像端午节划的那种龙舟。鲜艳的大红底色，上面画着美丽的风景，绿茵茵的树林，毛茸茸的草地，高大的风车前一条土路蜿蜒曲折，是典型的荷兰乡村景色。

　　它们是爸爸亲手用白杨木做的。这对爸爸来说可不算是难事。他还会做更复杂的木偶呢，眼睛、鼻子、眉毛、手脚，都活灵活现。

　　至于我平时玩的仙女棒，爸爸随手一削一涂就是一根。

　　制造出神奇小姑娘祝如愿的妈妈和爸爸是灰姑娘和捡到水晶鞋的王子，是拇指姑娘和青蛙王子，是田螺姑娘和憨厚的农夫……哦，这是在演布袋木偶戏或者提线木偶戏的时候。

　　要是演杖头木偶戏，比如说演《孙悟空三调芭蕉扇》，孙悟空足足有一米六高，那么要爸爸和妈妈加起来才是一个孙悟空。爸爸操持木杖控制孙悟空的身体和头部，妈妈操纵孙悟空的手脚。这时，爸爸和妈妈就成为一个人啦，于是他们就相爱啦。

　　什么叫要好得像一个人，看看那时候爸爸和妈妈演的孙悟空就知道啦，简直天衣无缝，无可挑剔！

　　他们一直从上海演到了荷兰，一路轰动。

　　在荷兰的时候，妈妈看到店铺里摆满了木头鞋子，大大小小，色彩缤纷。她喜欢极啦，可是爸爸不仅不买给妈妈，还不许妈妈自己买。妈妈特别生气。

　　回国后不久，爸爸却捧着一双漂亮得让人睁不开眼睛的红色木头鞋子走到妈妈面前，请求妈妈做他的妻子。

爸爸告诉妈妈，在荷兰，每个男人一生中最少也得做一双木鞋。男生爱上哪个女生时，要想方设法悄悄量好女生的脚的大小，并牢牢记住她脚的形状，亲手做一双木头鞋子，刻上女生的名字，送给她。女生呢，要从木鞋制作得是否精美与合脚，来判断男生是否真诚可靠。

爸爸告诉妈妈，他没有偷偷量过妈妈脚的大小，他就是凭着平时的印象去做的。每挖一刀，他都祈祷，这双鞋子一定要合她的脚；每在鞋子上涂一笔，他都祈祷，她一定会喜欢他画的图案。

爸爸最后很紧张地问妈妈，是不是乐意让他亲手为她穿上这双鞋。如果这双鞋合脚并且她也喜欢，她是不是就肯答应做他的新娘。

别的新娘可能穿红皮鞋、红绸鞋，可是，妈妈做了一个穿着红色木头鞋子的新娘……

妈妈要飞到天上去的时候，爸爸哭啦，说再也不会做第二双木头鞋子啦。

妈妈让爸爸在左脚鞋子上刻上我的名字，因为右脚

鞋子上刻的是妈妈的名字。妈妈说这双鞋子她就送给我啦，因为天使是不穿鞋子的。

妈妈又说，以后小姑娘有什么心愿，就对着木头鞋子讲，她保证最后一定能达成心愿。

她轻轻点一点爸爸的脸，脸上露出了两粒美丽的小酒窝窝。爸爸的眼泪顿时飞离了脸庞。

我悄悄量过妈妈的木头鞋子。妈妈的脚是三十五码，一双小巧漂亮的脚。

爸爸说妈妈眼睛也小小的，笑起来酒窝也小小的。

我长到十二岁，大脚足足有三十八码。如果妈妈知道我是一个大脚的小姑娘，会不会有点遗憾？

下雨天，很跩地穿着龙舟一样的木鞋子，满不在乎地踩过水塘，那样拉风的事情我做不了。不过，妈妈的木头鞋子派上了比穿着它踩水塘更神奇的用场：只要对它们许愿，天使妈妈就会来帮我达成心愿。

写着同学们心愿的纸条，我分别放在两只鞋子里。还没实现的放在妈妈的那只右脚鞋子里，继续让愿望发酵发热；已经实现了的，就放在叫做祝如愿的左脚鞋子里。

因为很多心愿没有时间期限，所以那些心愿暂时还没实现的主人都能耐心地等待着。

有一天，我整理左脚鞋子里的心愿纸条，一边整理一边忍不住呵呵笑起来。那都是些什么样的奇怪愿望呀，而且居然全是男生的。

我希望上天收回我说话的能力，就本周四一天。我一觉醒过来，发现自己不会说话了，但其他一切正常。（张昊楠）

结果，那个星期四，语文老师、英语老师、政治老师一窝蜂都搞抽背，背课文，背句型，背政治定义。张同学不幸三次都被抽中啦，又三次幸运地逃掉，因为他感冒了，喉咙哑掉发不出声音来啦。

方向有两张纸条，一张许愿，一张报告愿望实现。

从小到大，我只发过高烧。什么时候我能发一次低烧呢？（纸条一）

二，今天发烧了，没关系，因为这是我两个星期

前许下的心愿，低烧37.2℃。虽然不严重，四肢还挺疼的，身体也觉得很沉。发低烧和发高烧感觉果然不一样，一个是水深，一个是火热。现在，我的愿望实现了！YEAH！（**纸条二**）

姚一丁写的是：

就两件事，帮我办一下吧。一，让我这个板凳队员有机会上一次场。二，我终于射进了人生第一个球。全场的人都目瞪口呆。哼哼，万万没想到，这个被你们叫做臭脚的家伙居然……

结果，某天，足球队主力脚抽筋，姚一丁从板凳上一跃而起，直奔球门。守门员抱着双臂冲他笑，他就不客气地一脚把球送进了球门。全场的人都震惊了，因为兴奋过度的姚一丁同学把球踢进了自家的大门。哈？哈！

木头人店的
小姑娘老板

当我长到十三岁，就不得不告诉自己，你是一个小大人了。

我不愿意做小大人，可还是清晰地感觉到了，十二岁和十三岁之间隔了一条河流。河流那一边是一个被大家看成是许愿精灵的小姑娘，做什么事都有一股快乐的得意劲儿。河流这一边，是一个身体里好像装了不少心事，脸上有时会浮现与其说是若有所思不如说是有点迷惑无奈的神情。

是的，就是跨入十三岁那一年，读初一的我忽然忍不住怀疑，我其实并不是一个事事都能如愿的好命的女

孩子。相反，我几乎是事事不如愿。

爸爸的木偶剧团倒闭了。我那么喜欢的那些漂亮的活灵活现的提线木偶，匹诺曹、白雪公主、小人鱼、光膀子的皇帝……现在都挂在墙壁上，垂头丧气，死气沉沉。

我慢慢擦着匹诺曹的长鼻子，白雪公主的泡泡袖，小人鱼的尾巴尖尖，光膀子皇帝的大肚子……就连家里窗台上的那双许愿鞋子，不知道什么时候也落了一层薄薄的灰。哦，已经好久没人来拜访我这个许愿精灵了。

是因为右脚鞋子里的心愿纸条越来越多，左脚鞋子里却一点动静也没有的关系吧？

我虔诚祈求了那么多年，妈妈从来没有回来看过我一次。

巫娜又蹿高了五厘米。她晚上睡觉都能听到骨头的拔节声音，很快就长成一个傻大个姑娘，走路都缩着脑袋。

成星颜很爱学习，可是初一的新科目物理要了她的命，直接把她的年级总排名从第一方阵拉到第三方阵。无论她怎么用功，就是和物理不来电。

　　方可心家里的毛笔毛还没掉光，又被妈妈送进了素描班，每个周末上课画石膏像，下课回家画苹果。他画到呕吐，削好的素描铅笔依旧成捆地堆在那里。

　　刘天一狂看了一个暑假美女姐姐偶像剧，视力掉到0.6，当空少的美梦直接破灭。

　　我的死党许小橙珍藏的贴在书桌前玄彬的剧照，被老妈以整天看看看影响学习为理由，当场揭走，让她对着一面空墙欲苦无泪。

　　失业的爸爸开了一家小小的碟片行，生意可不太好做。

　　放学经过店门口，我常常看到爸爸一个人坐在电视机前发呆，间或嘴巴对着酒瓶啜两口。

　　整天演惯故事的爸爸，习惯在木偶背后手舞足蹈的爸爸，除了看别人演故事，似乎也没有兴趣再去干点别的了。

　　碟片行开在一条安安静静的街上，地段很偏僻。走到这里，行人不由得会慢下步子，停下来欣赏街头的壁画，踩踩梧桐树的落叶，会拐一个弯走进一条叫"香花

桥"的小街道，然后也许会再顺带着走进一间叫"木头人"的碟片行。

爸爸的碟片行不像其他街道上那种闹哄哄的碟片行，没有人唱"你是我的玫瑰，你是我的花"。这里的音乐是静悄悄的，从门缝里轻轻流溢出来。如果你不驻足侧耳倾听，也许就会和"木头人"擦肩而过了。

碟片行的装饰有点特别，墙壁上有点像一个童话世界。匹诺曹、白雪公主、小矮人、龙子太郎……它们曾经被人提在手里演出一场场活灵活现的木偶剧，现在被封印在这里，只是主人和他家的小女儿依然爱着它们。

"为什么不是哈利·波特呢？是龙骑士也好啊！现在的小孩子都快不认得你们啦，知道吗？"我握着毛巾，指着小人鱼问道。

有着银色鱼鳞尾巴的小人鱼没有回答我，红艳艳的嘴角一直向上翘着。

"你说妈妈会不会是被闪电带走了呢？"明明知道龙子太郎不会回答，我还是继续问。

现在，我该振作起精神，叉着腰对他大声宣告："我就是这间木头人碟片行的小姑娘老板啦！"

我现在把它当成自己的事业来经营。先不说这是爸爸的工作，我们生活的依靠，就是为了这些可爱的木偶，我也要拼命干呀。

擦好墙壁上的木偶，我拎着水桶走到房后倒掉，洗干净手，这才回到前台。看着干干净净的店铺，心里很有点成就感。

要知道，就在一年前，我还是一个连碗都不会刷的小姑娘呢。

爸爸曾经是个了不起的木偶剧演员，手里提着一大堆造型可爱的木偶，演着一场场精彩绝伦的木偶剧。原本木头木脑的木头人，被爸爸牵着线，手动了脚动了嘴动了，摇头晃脑地活过来了。

我的童年，就是在木偶和童话故事的陪伴下度过的。

在剧团的制作间里，我着迷地看着爸爸和其他的专业工匠做木偶。他们又是雕又是刻，仔细地着色，还要穿针引线缝制各式各样的衣服，步骤多得让人数不清。我常常看着看着就睡着啦，流下一大摊口水。醒来的时候，精美异常的木偶好像横空出世一样出现在我面前。

我瞪大眼睛张大嘴巴，好像跌入了另一个更加盛大的美丽梦境。

每次表演，色彩鲜亮的舞台两翼和精致的背景看上去都赏心悦目。我可以在没有挡板遮挡的情况下，近距离看爸爸表演木偶剧。

爸爸穿着黑衣，载歌载舞，甚至要拿着木偶翻跟头。听到台下小朋友们清脆的咯咯笑声，爸爸翻得更起劲了，闪闪的汗珠在飞舞，脸上的笑容也跟着闪闪发光。

可惜，我开始知道现实世界没有童话。现在，十岁左右的小朋友也不需要木偶来讲童话了。爸爸的演出越来越少，即使有演出，票价也是很低很低的。爸爸他们到外地演出，晚上都直接睡在剧院的椅子上，起来的时候腰酸背疼，跟头都翻不动啦。

演一场，作为主角的爸爸可以拿到三十到八十元报酬。家里的日子开始拮据起来。我翻来覆去吃番茄炒蛋，蛋炒番茄。以前是爸爸演出多没空给我做肉菜，现在是猪肉涨价而鸡蛋比较便宜爸爸就多多给我吃这道便宜又营养的菜。

"如愿，爸爸出国去好不好？"看我扒拉着番茄没有胃口的样子，爸爸突然问我。

"啊？"我一惊，"爸爸要去哪里？"

"荷兰，捷克，"爸爸念念有词，"嗯，还是去土耳其吧。"

"土耳其？"

"如果我到土耳其去，会有很多粉丝吧？"爸爸脸上露出想入非非的神情。

"噢，"我往碗里倒了点番茄菜汤，低下头大口扒饭，"我想到荷兰去。"

爸爸告诉过我，土耳其人特别爱好戏剧。在那里，喜剧演员、说书人、木偶剧操作师、皮影戏操作师都是他们的偶像。

可是，我不喜欢土耳其。对我来说，那里好陌生啊！不如到荷兰去，至少我还有机会买到一双合脚的木头鞋子。

"我随便说说的。"爸爸揉揉我脑袋，眼睛一一扫过墙壁上的木偶，最后落到窗台上的红木头鞋子上，"我哪里也不去，就守在这里，守着它们，守着这一双

鞋子。"

爸爸他们想了很多办法，甚至想重排大型杖头木偶戏《孙悟空三调芭蕉扇》，那可是他们剧团最著名的传统剧目哦。不知是爸爸老了身手不矫健了，还是搭档没有配合好，排演不到一半，爸爸的腰就扭伤啦……

一米六的孙悟空重新被装进箱子里，封存好，木偶剧团跟着倒闭了。爸爸失业了。还好，从前红火的时候还存了点积蓄，爸爸就用来开了一间小小的碟片行。

碟片行的生意不太好做，因为地段不太好，更重要的是有了网络，年轻人可以在网上看片，下片。每周我趁着上电脑课还能上三刻钟的网，就泡在"星座问情"这样的频道里转悠着，百度飞轮海吧和官方中文网我也常去。我在QQ上名叫木头木脑，还顺便替"家族事业"打广告：

个人说明：木头人碟片行，出售、出租最新大片，有浪漫日韩偶像剧、TVB剧以及台湾偶像剧，美剧fans也可在此找到同好。

　　我还经常跑到天涯、猫扑上发帖子宣传碟片行，一看到有人求片就会点进去。

　　"嘿楼主，我知道哪里有你说的片子喔。你可以去香花桥路上的木头人碟片行，那里可以租也可以借。要是老板耍酷不搭理人，你可以参观他家墙上的一排童话木偶，绝对夸张可爱，可以勾起你欢乐的童年回忆。下班时间来的话，说不定你运气好会遇到他的神奇女儿祝如愿，木头人碟片行真正的幕后老板娘（哈，是小姑娘老板啦）！"

　　我时不时会找点新片海报贴上去，下面附上自家的联系方式，再说一句："看帖不回是废柴。"

　　做这些事情的时候，谁也不会知道我是个十三岁的小姑娘吧？所以，我经常暗爽在心，觉得自己的肩膀也能扛起点什么事啦。

No.4

她的笑容好漂亮

我下决心做木头人碟片行的幕后小姑娘老板，是因为爸爸。

爸爸还在留恋着木偶剧团的生活，久久不能从那里抽离出来。虽然我只有十三岁，但我好像比他更快地从童话和木偶剧里走出来了。

有一天，到了打烊时间，爸爸没有回来。

我等在家里，忽然发现窗外正下着毛毛雨，动静轻到可以忽视，所以一直没有发觉。

我抓起一把伞出了家门。虽然没有声音，雨丝却密密麻麻地扑进伞下，一路走着，袖子都湿了大半。

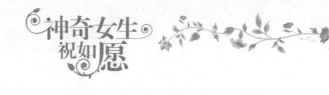

　　推开店门，就听见一阵呼噜声。雪花飞舞的电视机前，爸爸在打瞌睡，嘴角边的口水流得长长的。

　　我好像看到爸爸的生命，就像黄梅天里返潮的墙壁一样，一片一片在剥落。

　　爸爸的脑袋一拱一拱的，衣着邋遢形容疲惫，像挂在墙壁上的牵线木偶。它们整天挂在那里，让人连掸一掸的力气和兴致都没有了。

　　我站在那里，伞尖在滴水，心里湿漉漉的全是伤心。

　　从那天以后，我就学会了放学直接到店里，每天在爸爸面前转悠，为的就是监视爸爸，不让他徒然流失生命。如果，忽然有了"兴奋剂"，爸爸就会开始珍惜时间了吧。

　　我总是哇啦哇啦叫："爸爸你不要喝酒啦，不要抽烟啦！"

　　我又转过来说："天哪，我尼古丁中毒了，我要完蛋啦！"

　　爸爸总是左耳进右耳出，让他照做，那可是连门都没有。

　　他经常说的一句话就是："我已经没有爱吃的东西啦。这两样可是我最喜欢吃的东西，你不能把这个也剥夺了吧？"

　　"喝酒抽烟，这算什么好东西啊！"我大叫。

　　可是，我还没有成长到能让爸爸听女儿话的那个年纪。或者说，对于女儿的话，爸爸总是不听不理。

　　每到这个时候，我就对着窗台上的红木头鞋子祈祷："妈妈啊，让爸爸听听我的话吧！"

　　我把耳朵贴着右脚的鞋子，自言自语："妈妈，你会告诉我该怎么办的，对不对？"

　　一眨眼到了大年三十，一整个白天店里生意都不错。放年假的缘故吧，大家都有闲看点碟片啦。我和爸爸一直忙到下午四点左右，店里的顾客才陆续消失，都赶着回去吃年夜饭了吧。

　　爸爸大概觉得有点累了，一屁股坐下来，一边摸出一根烟点上，一边对我说："放张片子看看吧。"

　　已经放了一整天周星星的《食神》，我越看肚子越饿。

　　"噢。"我应了一声，然后在一排排碟片架里找。

架子上已经空了不少，今天是开店以来生意最好的一天。我真开心呢。

我挑了一张放进机器，是《勇敢的心》。一张老片子，我没看过，可是"勇敢"两个字吸引了我。

我看了一眼坐在那里看着窗外发愣的爸爸，只见他手指间夹着一根烟，不知不觉已烧出一大截烟灰。

我嘴里默默念着："勇敢，勇敢，我们都要勇敢！"

我和爸爸一起坐下来看。那是一部历史战争片，讲的是公元十三世纪苏格兰人民大起义的事情。照理说这不是我喜欢的类型，可我却被深深打动了。

爸爸也一样吧，两个小时里，他都没有再抽第二根烟。

我哭得一塌糊涂。纯洁的爱情，坚强的英雄，完美的音乐，壮阔的景色，波澜起伏的情节。华莱士，电影里的英雄，奋斗不屈，勇敢坚韧，都只是为了证明给他死去的爱人看，他是一个英雄。

高潮是在华莱士骑着黑色骏马出现在混乱的军队前，蓝色的油彩涂在他坚毅的脸庞上，金色的头发在风

中飞扬。面对着在残酷的对阵中开始动摇的战士，他吼出了勇敢的宣言：

"是的，战斗也许会让你死亡，逃跑将使你活下去！从现在一直活到从这里逃走的多年以后，一直活到在你的小屋里，垂垂将死，空虚地走完你们苟活的一生，你们！"

"活在你的小屋里，"我跟着喃喃重复着，"垂垂将死，空虚地走完你苟活的一生，你！"

最后一个"你"，我喊出了惊叹号的效果，双眼始终盯着电视机的屏幕，没有看一眼爸爸。可我感觉到了，爸爸看了我一眼，又一眼。

华莱士还在吼，他的声音响彻云霄："愿不愿意用这么多苟活的日子去换一个机会，仅仅只有一次的机会？回到这个战场上，告诉我们的敌人，他们也许可以夺走我们的生命，却永远拿不走我们的自由！"

"愿不愿意用这么多苟活的日子去换一个机会，"我继续跟着碎碎念，"仅仅只有一次的机会，回到这个战场上……"

然后，在爸爸的注视下，我从他眼前走过，笔直走

进最里面的储藏室，吭哧吭哧搬出了一只大箱子。打开箱子，我吃力地搬出一个大家伙，那个一米六的孙悟空，那个让爸爸和妈妈合二为一的孙悟空。

"爸爸，教我。"我说。

爸爸没有出声。他的喉咙在颤抖。我顺着他的视线看向屏幕。

华莱士要被处死了。他在颤抖。他默默地呼唤爱人的名字，祈求她赐予他勇气，让他完成英雄的使命……

"嗯！"爸爸眼睛里有亮光一闪，又一闪。

他猛然瞪大眼睛，使劲捏住鼻子，瓮声瓮气地对我说："天黑了，去，关门，回家吃年夜饭！"

"嗯！"我跟着瞪大眼睛，使劲捏住鼻子。

不这样的话，我的眼泪和鼻涕就要一起落下来啦。

就在拉上卷帘门前的一刹那，忽然冲进来一个人。

我倒退小半步，侧过身，让她进门来。

"跑了几家店都关门了，回家路上经过这里，本来已经不抱什么希望了，没想到你们还开着，太好啦！"她解开严严实实包住半张脸的围巾的瞬间，有只小小的酒窝一下子跳入我和爸爸的眼帘。

她的笑容真的好漂亮！

"对不起，对不起，我就挑几部，很快的！"那个
阿姨就带着这样抱歉却甜美的微笑，急急忙忙一头扎进
一排排碟片架，开始飞快地选碟片。

脑海里的橡皮擦

阿姨飞快地选片子的时候，我和爸爸也飞快地用手背擦了擦眼睛。我比爸爸多擦了擦鼻子。然后，我觉得神色自如多了，再去看爸爸，呀……

爸爸看阿姨的样子有点奇怪。怎么说呢，好像……好像眼睛再没有办法从她身上移开啦。

"能帮我再推荐……"阿姨抱了一叠片子，抬头，正好撞见爸爸的眼神，有点窘，赶紧转向我，"几部韩国片吗？小姑娘应该在行的……"

爸爸赶紧转过头去，掏烟点烟大口吸烟，一连串动作快得出奇。

我看了看阿姨的片子，她自己挑了一堆欧美片：《乱世佳人》、《BJ单身日记》、《爱情故事》、《绿野仙踪》……

"阿姨，你喜欢哭的还是笑的？"

"都喜欢。"她一抿嘴角，两只小酒窝又跳出来啦，"不过，看片子的话，好像哭起来更过瘾，有点像洗淋浴一样。"

"咳咳咳……"爸爸好像被烟呛了一下。

我看了下烟缸，天哪，才一会，就堆了五六个烟头。爸爸不是在抽烟，是在烧烟呢。

我走到第三排碟片架子跟前。那里是韩国片区。

我一边挑片子，一边问："阿姨，你知道有什么戒烟的好办法吗？"

"嗯，抽一支，就揪下自己十根头发。在变成秃子以前，一定能戒了！"阿姨飞快地回答。

"太厉害啦！谁想出来的呀？"我探出头去，跟着从架子上抽出一张《我的野蛮女友》。

"是……是我的一个朋友。后来，他又用了另一种办法，叫递减法。开始是每天减一根，后来每周减一

根，再后来每月减一根，再后来就不用减了，因为他彻底不再抽烟啦！"

"他真行呀！"我情不自禁地赞扬。

"行什么呀，比不行还糟糕！"

"为什么呀？"我又探出头去，发现阿姨脸上的小酒窝，不知什么时候已经消失了。

"不抽烟以后，他好像变成了另一个人，脾气特别不好……"阿姨摇摇头，对着我挤出一丝笑，"小姑娘，还是不要让你爸爸戒烟吧！"

"啊，噢？"我有点傻了，抱着一堆让人哭湿手绢的韩国纯爱故事片出去。

《我的长腿叔叔》、《我脑海里的橡皮擦》、《向左爱，向右爱》……

我特地把《我脑海里的橡皮擦》挑出来："阿姨，这张最好看啦。我看的时候，爸爸说我哭得像个小喷泉。"

"噢，是吗？"阿姨拿起碟片，眼睛扫过那一行行字：

假如明天我的爱就会消失

假如明天我不再记得我爱过的你

不再记得你的名字、模样、说过的话

假如我的记忆只在现在

你将如何去爱我

脑海里的橡皮擦

可以擦掉回忆

擦不掉过去的存在

伤心的幸福的存在

"她哭起来就像阿姨笑起来一样好看呢！"我指指封皮上泪光盈盈的女主角秀珍。

"好的，我今天晚上就看！哭得好看可比笑得好看要难得多！"阿姨很感兴趣的样子。

其他的片子，阿姨一张也没有验收，统统都要了，一边付款一边对我说："谢谢呀，小姑娘。"

我把打出的收银条和装好袋子的碟片一起交给阿姨，说："再见！"

哗啦！那边抱着一堆碟片的爸爸突然失了手。他今天怎么啦，像毛头小伙一样冒冒失失的？

　　漂亮的阿姨推门要走。

　　"阿姨！"我叫住她，急急从藏在柜台下的书包里拿出一本漂亮本子，"你可以留下联系方式吗？有新的好片子到了，我可以随时通知你，你有空就来看看。"

　　"喔。"她有点犹犹豫豫地走回来，慢慢地在本子上一笔一画地写。

　　"柳允典，香花桥路……"她一边写一边说，"我手机不常开的，就留个地址吧。"

　　"行啊，没关系。"我欣赏着她秀丽的字，"阿姨的姓和名字都好有气质哦！"

　　"那，小姑娘你叫什么名字呀？"她来兴致了。

　　"祝如愿。"我在一张便笺纸上写下了自己的名字。

　　"哦，"阿姨又露出两只小酒窝，"好听的名字！谁起的？"

　　"妈妈在飞去天堂以前和爸爸一起想出来的。他们希望只要我心有所想，最后都能如愿以偿！"

　　柳允典阿姨不禁看了爸爸一眼，眼神有点温柔。爸爸好紧张呀，手脚都不知道往哪搁了。

"新年快乐！今年如愿的愿望肯定能够实现！"允典阿姨深深地看了我一眼。

"真的吗？耶！"我忽然好快乐，而且信心爆棚。

回到家，吃过年夜饭，看了一会儿"春晚"，爸爸说："我们还是看片子吧。"

"好喔，爸爸好敬业呀。"我笑笑。

爸爸摁了play键，屏幕上打出了片名：《我脑海里的橡皮擦》。

我心里一跳。香花桥的允典阿姨，也在看这部片子吗？

虽然是看第二遍，我还是为这个故事泪流满面。

年轻女孩秀珍长得很美，却得了暂时性失忆症。因为一罐可乐，她邂逅了一个年轻的男子哲庶。他们相爱了，新婚的日子非常甜蜜。但哲庶发现，秀珍的健忘症，原来叫做阿兹海默症，无法治愈，症状只会越来越严重。

秀珍告诉哲庶："我的脑子里有一块橡皮擦。"

终于，有一天早上醒来，她不认识身边的爱人了。

秀珍觉得这样的人生失去了意义，她选择了离开。哲庶开着车到处找她。凭着秀珍唯一记得他的三个小时，就是他们第一次认识的三个小时的线索找她，便利店、卖可乐的店员、工地……终于，他找到了秀珍。她安静如天使，看着他就像一个陌生人。他在她面前哭到心碎，可没有知觉和回忆的她却笑靥如花。

我哭得抽抽噎噎。

爸爸一边给我递纸巾，一边说："女孩真是最幸福敏感的动物，因为想哭就可以哭呀。"

"男人哭吧哭吧不是罪！"我一边忙着掉眼泪一边不忘回敬爸爸一句。

最后的镜头是哲庶开着车载着秀珍，看着前方的路，偶尔回头看秀珍，眼里不再有眼泪，而是满满的幸福。

"秀珍和哲庶，即使他们的幸福只有三个小时，也是一生中最珍贵、最美好的回忆！你说，哲庶能不能就靠这三小时，一直幸福地活下去？"我把脑袋搁在了爸爸的肩膀上，轻轻地说，"喔，我还是觉得这只是电影，现实里是不太可能发生的。要不，哲庶也实在太可

怜了呀！爸爸，你说对不对？”

爸爸没有出声，他在看窗台上的那一双红木头鞋子。

爸爸和妈妈，他们在一起幸福地生活了三年。那三年，也是爸爸作为木偶剧演员事业达到顶峰的三年。

可是，后来爸爸失去了妈妈。再后来，爸爸又失去了最心爱的木偶。他还能不能幸福地活下去呢？

十二点钟声响起的时候，我对着妈妈的红色木头鞋子许愿：“妈妈，对不起，我想给爸爸要一个像你一样好的妻子陪伴他。如果她的脸上正好也有两只小酒窝，如果她的脚恰好也是小巧玲珑的三十五码……”

许完愿睁开眼睛，我把有允典阿姨亲手写着地址的纸片折成了漂亮的心形，走进了爸爸的房间，重重拍到他的掌心里，粗声粗气地说：“爸爸，送给你，祝如愿的新年礼物！”

老爸觉得有点疑惑，想拆开，又忍住了，到底不好意思在女儿面前露出心急的样子。

他的动作笑死人了。

"嘿嘿，买了这么一大堆片子回家过年，那个阿姨肯定也是个孤独的人吧？"看着窗外漫天的新年烟火，我自言自语。

爸爸不再做趴趴熊

　　脸上有两只小酒窝的允典阿姨住在香花桥。

　　说起香花桥这个名字，我就会想起小时候。爸爸把我扛在肩膀上，一大一小边走边唱着儿歌："啊门啊前一棵不倒树……"我奶声奶气，口齿不清，总把葡萄树唱成不倒树。

　　香花桥是一条窄窄的路。左边是经常板着脸不给塑胶袋而且没好声气的超市大婶把门的便利店。右边昨天还是圆缘茶坊，明天就变成了台湾香滑小火锅，后天不知道要变成什么店。夹在中间刚好够一辆轿车通过的，就是香花桥喽。

"爸爸爸爸，为什么要叫香花桥？桥在哪里？"小时候我什么都要刨根问底。

后来渐渐长大了，我才发现叫什么名字不要紧，就算香花桥不叫香花桥，叫首尔东路或者伦敦西路，它仍然是这条窄窄短短的街巷。

就像我即使不叫祝如愿，也会是爸爸和妈妈最最心爱的小姑娘。

但那时候的爸爸比现在有耐心也热情得多，就算我有十万个为什么，他都会不辞辛苦一个一个回答我。

当时爸爸认认真真想了一会，指指这条路，再指指两边，一口气说了好长一段话："如愿啊，看这条路是短短的，窄窄的，可是两边的梧桐树很美啊！还有，这些上了年纪的房子也很美。别的路就算再宽敞，也没有这样的老房子。有一天啊下了一场雨，一个大诗人撑着一把伞，走在这条路上。走着走着，他就念出了一首很有名的诗。"

爸爸清清嗓子，开始背诗："撑着油纸伞，独自彷徨在悠长悠长……的雨巷，我希望逢着一个丁香一样……的姑娘。"爸爸停下来问我，"嗯，'像丁香一

样的姑娘'，感觉挺好吧？"

点点点代表爸爸清嗓子的声音，嘿嘿，也是代表他背不出的部分。

小小的我看着一个个乌黑的发旋儿，拼命点着小脑袋。喔，坐这么高看姐姐们的脑袋，挺有趣的……

爸爸自然不知道自己的诗情画意被当时六岁的祝小妮子曲解成了这样，还以为他的品位被女儿认同了，于是很是得意，不再唱儿歌《蜗牛与黄鹂鸟》了，一路哼哼起了《但愿人长久》，还是王菲版的："明月几时有，把酒问青天……"

我长大了，发现香花桥跟大诗人还有那首叫做《雨巷》的诗基本上没啥关系的时候，爸爸也成了趴趴熊，成天趴在店里，打游戏，看电视，看碟片。

最让我看不懂的是，催泪弹一样的韩国电影爸爸看了从来不掉眼泪，最多神色严肃。可是看周星星的片子《喜剧之王》，每次他都能看出点泪水来。

"为什么呢？"我像小时候一样问爸爸。

爸爸拒绝回答。爸爸不告诉我没关系。呵呵，我是神奇的小姑娘，自己能找到答案。

果然，不久我就发现，电影《喜剧之王》里周星星是个在片场里可怜的打杂的，每次做替身都摔得鼻青脸肿。

被支使着去搬盒饭，分盒饭，他会很严肃很痛苦地念出一句台词："其实，我是一个演员。"

爸爸趴在那里，眼泪在眼圈里滚呀滚，然后就冒出来啦。

我找到了答案，心里却很难过。其实爸爸这辈子做得最出色的事情就是木偶戏表演。现在，他只能整天趴在冷冷清清的店里卖碟片。

新年过后，不知是不是我的许愿起作用了，我发现爸爸有了一些变化。

他终于脱掉了那双穿了一整年的一脚蹬皮鞋，换上了很精神的绑带鞋，还翻出了压在箱底很久的牛仔裤。每天，爸爸都打理得整整齐齐才出门，再不像以前那个灰仆仆、脏兮兮的中年大叔啦。

开学后第一天放学，我背着书包走在路上，忽然就看见前面一个便利店门口有个男人在踱来踱去。

呀，是爸爸！他终于也难得出来接收接收室外的阳

光啦。以前，爸爸可以整天不出店半步，趴在那里，有顾客进来再抬起头来。

"爸！爸！"我兴冲冲地跑过去，挽住他的手，"哎呀，你出来接我吗？我们快回去吧，有客人上门怎么办？"

"我……我来店里买包烟。"爸爸说，有点心神不定的样子。

"少抽点烟啦！抽烟有害健康。抽烟的人肺都黑黑的，而且二手烟是很可怕的，爸你不希望女儿清清白白的肺变得脏兮兮的吧？"我拖住爸爸的手，不让他去买烟。

"什么清清白白，这个成语你会不会用……"

"不管啦，给我买熬点，要咖喱的。阿姨，汤多加点，香呀。"我跳进便利店，一口气点了墨鱼丸、竹轮、贡丸、魔芋丝、大萝卜，一边转头催催催，"爸爸你在干吗？快点付钱！"

爸爸在玩慢动作，慢吞吞转身，慢吞吞走上台阶，慢吞吞站到我跟前，两只眼睛却好像跌落在人行道上没捡回来，使劲往外瞟。

"爸，难道你中了葵花点穴手？"回去的路上，我嘟囔着。

嘴巴里塞满了贡丸，再喝上一口汤，鲜鲜香香的咖喱味道直接窜进喉咙，真爽！

"什么葵花点穴手，你电视看多了吧？"爸爸感觉好像不太爽。

"什么嘛……爸爸真是，一点也不懂幽默。"我小小声地说。

又过了几天，我发现，爸爸每天都要在香花桥路口的便利店那里晃悠，每次都是借口"买烟"。让我感觉很爽的是，除了经常能借着阻挡爸爸"买烟"而换上几串好吃的熬点吃，我还能欣慰地看到，爸爸除了"买烟"的时候打扮得一表人才，就算呆在店里，也已经彻底和中年大叔或者御宅族划清界线啦。

现在放学回家，我就能看见爸爸顶着一颗沧桑又不失帅气的脑袋，轮换穿着号称中年男人穿了会更精神的V领或者圆领T恤，胡子也刮得很干净。

"爸爸，你有应酬啊？"把书包一放，我咬着红薯干，跟着他的脚步移动。

虽然穿得像大学里骑单车抱一堆书的大男生，爸爸却在擦玻璃。虽然是在擦玻璃，可他完全没有做到眼明手快这个要点，眼睛不知神游何处，只有手在玻璃上磨磨叽叽。

"爸，上面有个大黑点！爸……"

这人毫无反应，仍然自得其乐。几秒钟后，爸爸忽然把抹布往我手里一塞，跳下梯子，身手灵活得像只有十八岁喔。他径直向收银台走去，蹲在下面不知道在找些什么。

"爸爸怎么了，中邪了？"我咕哝着捡起抹布，继续擦被爸爸擦得花花的玻璃。

"如愿……你……"爸爸的话音刚响就没了，下半截吞到了肚子里。

我一转头，看见穿着米色大衣和咖啡色靴子的允典阿姨笑盈盈地站在门口。如果这时候是在拍电影，一定是镜头先在阿姨身上停留三秒，再缓缓移到我身上，最后定格在爸爸身上。

哈，爸爸和橱窗里的木头人根本没有什么差别嘛！

被无数爱情电影熏陶的本姑娘，就在这瞬间可以肯

定，这是一部叫《诺丁山》的电影，只不过书店老板换成了碟片店老板，女主角依然很迷人。

女生都喜欢把
自己当女主角

接下来的几分钟里，允典阿姨挑了几部片子，爸爸收了钱。这一过程很短，短到爸爸只报了个金额，只说了声再见。

允典阿姨笑了笑，抬头看看站在梯子上勤劳擦玻璃窗的我，说："祝如愿，你推荐的片子很厉害啊，我哭掉了一盒纸巾呢。"

"太好啦！是不是这个催泪弹呀？"我笑嘻嘻地跳下梯子，清清嗓子，"遇见你是我一生最好的事。我感激上帝把你作为礼物送给了我。我不必记住你，你是我的一部分。我像你一样微笑，大笑。我可能会忘记你，但你永远是我身体的一部分。尽管你没有说过你爱我，内心深处我知道你爱我，原谅我离开你。"

得了失忆症的秀珍选择离开哲庶的时候，给心爱的人留了一封信。每次听着秀珍的这段旁白，一个非常非常透明的纤细的女声，我都要大哭一场。

难忘的情节或者台词，一般看两遍我就能记住。

真幸运，我的脑海里非但没有橡皮擦，反而全是粘贴纸，看到听到难忘的情节和台词，就牢牢地张贴在那里。

店堂里没有声音，除了我之外的两个人，爸爸和允典阿姨好像都陷入了某种沉思，也可能是我把他们都镇住了。

"你都背出来了呀！"允典阿姨过了半晌反应过来了，惊叹道。

"背课文怎么就像挤牙膏呀？"躲在柜台里的爸爸终于出声啦。

我不服气地说："这个可比背课文容易，只消把自己想象成电影里的女主角就行啦。"

"你做女主角还太小。爸爸开这个店，害你看了太

多爱情片。"嘿嘿，爸爸是担心我会成为一个早熟的小姑娘吧。

"爸——"我拖长声调，"女生都喜欢把自己当女主角，不管是小姑娘还是老太婆。允典阿姨，你说对不对？"

爸爸看看允典阿姨，瞪了我一眼。

"允典阿姨你可不是老太婆噢！"我立刻明白，在第一时间里纠正。

"我真羡慕如愿呢！"允典阿姨一点也没在意，"百分百投入、百分百愿意相信电影里的事，也是小姑娘才有的专利呀。"

"阿姨不相信电影里的事？"

"相信。"允典阿姨拍拍我手背，"不过，就是当电影里的事那样去相信。"

看我一头问号，允典阿姨接着说："比如，《我脑海里的橡皮擦》，就算秀珍和哲庶分开了，最后的结局无论如何还是会在一起。大部分电影都是这样的，要不观众就不答应，要不电影也不是电影啦。实际上，很多人分开了，就不会再在一起。或者离开了，就不再回来。或者找不到了，也就算啦。生活不是电影，要不就没法生活啦。"

"阿姨不是把一盒纸巾都哭完了吗？"我反问。

"那是因为，"爸爸插进来说，"大人平时不能想笑就笑想哭就哭，需要电影来帮点忙。"

刚才，爸爸听得比我更专心。他直视允典阿姨的时间，第一次超过了十秒钟。

"懂啦！"我爽朗地点头，"大人就是要找乐呀找眼泪。这样的人越多越好，木头人碟片行就生意大大的有啦。"

"你有一个神奇的小姑娘呀。"允典阿姨对爸爸笑笑，"那么……"允典阿姨做出要走的样子。

在她"我告辞了"这几个字还没出口以前，我飞快地接上去说："我还是个野蛮小姑娘呢！对不对啊，爸爸？"

我鼓起腮帮说："记住你要遵守的十条规则。第一，不要打算让她温柔一点。第二，不要给她喝三杯以上，她会打人的。第三，在咖啡馆一定要喝咖啡，千万不要点可乐、果汁之类的东西。第四，如果她打你，一

定要装作很痛的样子。如果真的很痛，就要装作一点也不痛。第五，在认识一百天纪念日，一定要去她班上送一朵玫瑰，她会很喜欢的。第六，一定要学会击剑和打壁球。第七，要有蹲监狱的思想准备。第八，如果她说会杀了你，不要当真，这样她会好受一点。第九，如果她的鞋穿着不舒服，就要和她换鞋穿。第十，她喜欢写作，要好好鼓励她。"

我一口气讲下来，一点也没结巴。

比起《我脑海里的橡皮擦》里拥有晶莹美丽泪珠的秀珍，我更向往成为《我的野蛮女友》里全智贤那样又好看又帅气的女孩子，所以把这段台词背得滚瓜烂熟。

"允典阿姨，"我紧接着问，"那你喜欢什么呀？"

"我嘛，"她正笑得开心，马上指指自己的鼻子，"我喜欢笑呀，有时候也喜欢哭。嗯，想哭想笑的时候，就来这里，"她又指指架子上一排排的片子，"这里有这么多催泪弹，还有——"她最后一点我的鼻子，"你这开心果。"

"喔，不是指这种喜欢。"我得意洋洋之余，还感到不满足，"比如，我爸爸喜欢木偶，"我对着墙壁上的木偶们点点点，又一拍头，叫了一声，"阿姨等等，我给你看个宝贝！"

我吭哧吭哧再次从储藏室里搬出大箱子，踮着脚尖，奋力把个子比我更高的孙悟空奋力举过头顶。

看着允典阿姨变得越来越惊讶，我用眼神一个劲示意爸爸："该你上场啦，该你上场啦！"

当着允典阿姨的面，一看到那个孙悟空，刚刚还挺能说的爸爸却变成了木头人，不，是石头人，害得我示意的眼神纷纷碰壁重重跌落。

"喔，"我只好找个台阶下，对着允典阿姨说开啦，"我爸爸是很厉害的木偶剧演员。早上还有个大学生姐姐认出了爸爸。人家特别激动，因为她可是爸爸的粉丝噢。"

"人家上幼儿园大班的时候看过我的表演。"爸爸干吗要老老实实坦白呀！

"噢！"允典阿姨嘴边又露出了两只小酒窝，"你说的是那种喜欢呀。我喜欢吹长笛，也算是我的工作。"

　　我对爸爸做了个鬼脸，学周星星的台词腔调，念道："其实，我爸爸也是一个演员。哈，你们都是演员呀！"

　　允典阿姨笑着点头："如愿，将来考戏剧学院吧，做比我们两个都棒得多的演员。"

　　我们？我们！这两个字一下把允典阿姨和爸爸的距离拉近了不少。

　　"那个，那个，"爸爸指指那个高大的孙悟空，主动向允典阿姨解释，"是要两个人一起才能演的。"

　　"没关系。"允典阿姨对爸爸笑笑。

　　她嘴角边的两只小酒窝又像磁铁一样，吸引住了爸爸的目光。

　　"我走了，"允典阿姨好像有点不自在了，"再见，如愿。再见，祝先生。"

　　"阿姨，最后一个问题！"我再次叫住她，"有人陪你一起看片子吗？"

　　"嗯？"

　　"我看得眼泪滴滴答答的时候，爸爸会坐到我旁边来，一张接一张抽纸巾给我擦鼻涕。"

　　"噢，"正要推门的允典阿姨慢慢放下手，"那么如愿，你比我幸运。"

　　两只小酒窝一闪，接着，就和人一起不见了。

　　我看看爸爸，爸爸看看我。我们好像已经得到了期待中的答案。可是为什么，我和爸爸都有点难过呢？

爸爸的豹纹超短裙

　　"海报贴谁的上去好呢？刚刚到了《花样少年少女》，贴上去算啦！"我自言自语。

　　面向大街的落地窗上，贴着好几张海报：《触不到的恋人》、《大灌篮》、《士兵突击》……

　　从收银台下拽出几张最新的海报，我又搬来一张椅子。

　　不要以为我很矮。如愿小姑娘身高已经有一米六啦，绝对比较高人一等。搬椅子，不过是为了一会贴最上面一张比较方便。

　　小心翼翼地揭开透明胶带，再把揭下来的海报轻轻

卷起来。每张电影海报都该被好好珍藏，而且还可以拿来糊墙，家里的墙纸好像有点卷边了呢。我摊开自己刚找出来的这张海报，在四个角边贴上透明胶带。

呵呵，贴什么海报我说了算。我可是木头人碟片行的小姑娘老板喔。

《花样少年少女》，吴尊和汪东城真的好帅，可是Ella就……只能勉强称赞长得挺可爱的。还有，《致命魔术》的两个男主角也很帅。

"我只对你有感觉……喔喔喔。"一边哼着歌贴海报，一边看看在店堂里卖力搞清洁的爸爸。

擦完了陈列架擦碟片盒，擦完了碟片盒又沿着墙壁白雪公主青蛙王子光膀子皇帝一气擦下去。整个店堂都显得亮堂堂的，就和爸爸身上的米白毛衣牛仔裤一样精神抖擞呢。

爸爸只对谁有感觉呢？念头刚转到这里……哇！我差点没从椅子上跌下来，玻璃窗外有一双眼睛正笑眯眯地看着我。还没等我喊爸爸，两只小酒窝一跳一跳就跃然眼前啦。

"对不起，如愿，阿姨吓了你一跳吧？"

"喔，因为刚刚脑子正好转到阿姨，阿姨就出现啦，简直像仙女一样嘛！"

六岁以前，我都以为自己是仙女的孩子。神话传说里不是经常有这些吗？比如牛郎和织女。爸爸留下了妈妈的天衣，让妈妈留在他身边生儿育女，但高高在上的外公气得吹胡子瞪眼，派出又专横又厉害的舅舅带走妈妈。可怕的是，舅舅的眉心还有第三只眼睛，简直就是基因突变的产物嘛。

尽管怀着恐惧，小小姑娘时代的我还是期望有一天，自己在梦里也好，从幼儿园门口出来也好，会有个笑起来甜蜜蜜的阿姨走到面前，牵起我的手，用好听又肯定的声音说，祝如愿，我是你妈妈。如果妈妈会飞，就能带我在天空中穿梭了。我会拣一朵漂漂亮亮的白云当座驾，最好还有个百宝箱……就像是多拉A梦小叮当。

"如愿才是神奇小姑娘呀！"允典阿姨的声音打断了我的回忆，"想谁来谁就来啦。"

好香的咖喱味道呀！我抽抽鼻子，接着就眼睛发直。收银台旁放着两杯咖喱熬点，最上面的红白条蟹肉

棒、玉白色贡丸、QQ滑滑的魔芋丝，都浸满了咖喱汤汁。

"走过便利店，闻到咖喱味道，馋了，也不知道如愿喜不喜欢吃呢。"

轮到我觉得惊奇了。允典阿姨是钻到我肚子里的蛔虫么？下午四点半到五点半是我的熬点时间。吃咖喱是能让人上瘾的，每天这时候就要发作一下。

但爸爸最近改变了去便利店那里逛逛顺便买烟顺便也让我蹭杯美味熬点的习惯，开始留在店里守株待兔啦。嗯，我动动脚趾头都想得出，允典阿姨现在已经成了木头人碟片行的老顾客啦，自己就会上门的。

我也只好戒了这个习惯。可每天一到这个点，哪怕看到穿黄色衣服的行人，我都会像小狗狗条件反射一样咕嘟咕嘟冒口水。

"一起吃？"允典阿姨轻轻吐一吐舌头，"男生我就不管啦，我只有两只手，就买了两杯！"

我扭头，咦，一会会功夫，爸爸去哪啦？不会是躲哪流口水去了吧？

"嗯，好呀。"我不客气地叉起一个丸子，塞进嘴

巴，嘴上长了一圈黄绿色的"胡子"，"阿姨，你是大仙女。每天放学回到这里，就是我的咖喱熬点时间呢。你说咖喱怎么这么香呢？一闻到那种味道，我的脚跟都要发软。"

"这不奇怪呀。你知道咖喱两个字的意思吗？就是把许多香料放在一起煮，哪有不香的道理。"允典阿姨真神奇，吃熬点也像吃西餐一样优雅，喝汤也滴水不漏。

"怪不得！"我吃得呼噜呼噜的，像一头小猪扎进饲料槽尽情拱食，一边还嘟嘟囔囔，"我告诉你个秘密。我感冒不吃药的，就是一边吃咖喱一边看喜剧片一边狂笑一边眼泪狂飚一边喷嚏一个接一个猛打，感冒就神奇地好啦。"

"真的呀？"允典阿姨扯了一张纸巾捏住鼻子，好像很怕打喷嚏。

"太爽啦！"一会功夫，我的杯子率先空啦。

浑身舒坦。吃零食的愉快，就在于好像是正餐之外额外的快乐。

允典阿姨把我们吃熬点又当叉子又当筷子的四根细

木棍一起收起来，问我水龙头在哪："洗干净，下次就不用再浪费木棍子啦。"

"嗯！"我带她走到储藏室那边。

打开门，我们都一愣。爸爸蹲在那里，专心地缝着什么。细看，是一条裙子，短短的，豹纹花样。

"你好久不来啦。最近来了好多好看的片子。"爸爸抬头，若无其事地和允典阿姨打招呼。

"噢，你忙你的。"允典阿姨赶紧退出来，连木棍子都不洗了。

"马上好，就差几针了。"爸爸继续埋头干着手里的活。

果然，过了一会儿爸爸就出来了。只有我托着下巴坐在收银台那里，手指无聊地拍打着脸庞。

"人呢？"爸爸左看右看。

他的头发好像特意梳过了，上面还沾着水花。用自来水代替摩丝，对不修边幅的爸爸来说，已经算是一大进步啦。

"走啦！"

"那么快？"爸爸有点吃惊，"这次借了什么片

子？"他已经养成习惯，凡是允典阿姨选中的片子，他就跟着去看一遍。

我大幅度摇头。爸爸露出了苦恼的神情。

"爸爸怎么想起来在里面缝裙子？"

"最近有用呀。"

"可是给阿姨看见啦！"

"怎么说呢？"

我露出一副好糗的样子。爸爸这么迟钝呀！想想，一个一米八的大男人，躲在别人看不见的角落里，悄悄缝着一条花花的小裙子，而且……

"不会是给我的吧？裙子也太短了呀，而且妖里妖气的。"

"啊？"爸爸一脸愕然……

No.9
像个沉睡的公主

第二天，又到熬点时间啦。放了学，我一直趴在面向大街的落地窗前朝外看。对着斜对面香花桥路口，我眼睛一眨不眨地盯着看。

终于，那个熟悉的身影出现在路口不远处，一只手插在兜兜里，微微低着头。外面好像有不大不小的风，米色风衣和黑色的长发一起被风吹起来的样子，特别美。

一秒钟也不犹豫，我飞一样冲出店门，迅速穿到街对面，一把拉住对方的胳膊："阿姨，允典阿姨，等一下！"

"如愿啊。"允典阿姨提着一个小巧的长条形箱子，稍微愣了一下，马上露出"我明白了"的表情。

"来吧。"她牵起我的手朝便利店走，"吃咖喱熬点去。"

"今天不吃。"我摇摇头。

"是吗？"允典阿姨有点意外。

"我让阿姨做道选择题，好吗？"

"好呀。"阿姨露出很乐意的表情。

迄今为止，允典阿姨对我的各种小花样好像都很喜欢。

"听清楚了。题目是，木头人碟片行的祝福先生（嘿嘿，现在知道我爸爸有个多老土的名字了吧），有一天忽然做了一条性感的豹纹超短裙。他是给谁做的呢？答案三选一：一，他的女儿祝如愿。二，某个美腿MM。三，孙悟空。"

"当然是美腿MM！"阿姨肯定是故意的。

看她抿住嘴笑的样子就知道啦，两只小酒窝在嘴角边一蹦一跳的。

"错！"我也故意尖叫，"标准答案在那里。跟我走！"

我拉着阿姨的手，连跳带奔，一气跑到了对面我家店里。

我指着墙面上第一个最醒目夸张的木偶，充满自豪地说："答案是——'孙悟空的裙子'！"

"其实就是个围兜！"爸爸走过来，站在允典阿姨身边，笑嘻嘻地说，"传统的造型用虎皮纹，不过我觉得豹纹更神气！"

"真不错！"允典阿姨摸了摸，忍不住夸奖，"缝得真好，针脚像缝纫机踩出来的。"

"不结实不行。舞台上，孙悟空跟头要翻个不停的。"

"你也要跟着翻吗？"

"不用，不过要跟着不停地跳。"爸爸滔滔不绝地说开啦。

记忆里，爸爸还是第一次主动和允典阿姨说这么多话呢。

"这是杖头木偶，就是木偶后边有一根木杖。我举起木杖来控制它的身体和头部，另一只手呢，就控制它的四肢。"

"喏，那个就是提线木偶。"爸爸走到皮诺曹那边，用手稍微玩了几下鼻子，一会老长老长，一会很短很短，"每一个小朋友们看到这里，肯定都会捂住鼻子哇哇大叫。我演了多少年了，每一茬孩子的反应都一样，真神奇！"

"真是神奇的工作呀！"允典阿姨由衷地赞叹。

"你看，鼻子是空心的。"爸爸索性摘下皮诺曹，演示给允典阿姨看，"有两根线操纵着，手指一钩一钩，要控制好力度。舞台灯光一点点变暗，鼻子一点点变长。底下的孩子跟着屏住呼吸，眼睛一点点睁大，嘴巴一点点张开啦！"

爸爸说得眉飞色舞，允典阿姨看得听得津津有味。我闭着嘴，悄悄跟在他们后面。

转到最后一个木偶，白雪公主，我忍不住跳出来："小时候爸爸给我做了条公主裙，和她一模一样！"

"是吗？"允典阿姨扬起了眉毛。

"我爸爸会演木偶，还会做木偶，还会给木偶做裙子做帽子，是全能爸爸！"消失了好久的自豪感，在这

个黄昏，在爸爸带着允典阿姨参观挂在墙壁上的木偶时，突然呼啦啦又涌上来啦。

"雕虫小技而已。"爸爸竭力装出一副谦虚稳重样。

"了不起哦！你是给木偶全部生命的人！"允典阿姨看爸爸的眼光里，有崭新的东西。好像爸爸是她一直抱有兴趣的一本书，今天终于打开看了，不仅翻开封面，还阅读了第一章，内容非常精彩吸引人。

我泡了杯立顿袋泡红茶，递到阿姨手里。她一边说谢谢，一边放下手中的长条形箱子，小心翼翼放在店堂一角的沙发上。看得出，她对它十分珍爱，刚刚跟着爸爸参观木偶时，一刻也没有放下来。我不由得盯着它看。一只深玫瑰色的小皮箱，好看，秀气。

允典阿姨好像看懂了我的心思："如愿要不要看看里面？"

"可以吗？"我刚问，允典阿姨就把箱子打开了。

一支擦得铿铿亮的美丽银色长笛，静静躺在铺了软垫的箱子里，像个沉睡的公主。

"真的是银子做的吗？"我问。

阿姨肯定地点点头。

"真美啊！"我发出赞叹，并且打心眼里觉得，只有允典阿姨才和这样美丽的乐器相配。

爸爸在一旁点头。阿姨纤长的手指在长笛的键上点点点，仿佛几个小精灵在跳舞。

她对着它自言自语："对不起呀，一直把你关在盒子里。"

"啊，阿姨好久不吹长笛了吗？"既然爸爸都破天荒表演了皮诺曹鼻子忽长忽短的绝技，我盘算着也让阿姨吹点什么给我们听听。

"是好久不吹这支笛子啦。说来，还得谢谢你啊！"允典阿姨突然对爸爸道谢。

"哦？"爸爸尽管一头雾水，但还是咧开嘴笑了。

"上次，我在店外面看到你擦那些木偶……其实，那天我站在外面看了很久。因为你擦得非常非常仔细，看起来特别开心。擦到匹诺曹的鼻子，你疼爱地捏捏它，好像在给一个孩子擤鼻涕。擦到白雪公主，你抬起她的手，一个指尖一个指尖轻轻擦过去。这突然让我想起了这支银笛。当初得到它的时候，我也是这样每天轻

轻地擦呀擦，心里喜欢得不得了。可是，后来我把它关
在盒子里，一关就是好几年。我以为自己把它忘记啦。
可是，你让我想起它啦。就算曾经拥有的，也该珍惜，
对不对？"允典阿姨捧着红茶，脸庞在袅袅的热气里静
静地发光，"所以，今天，我下定决心，拿到乐器店里
做了一次彻底的保养。"

小人鱼忽然苏醒啦

允典阿姨第一次和爸爸说那么多话。爸爸听了，揉揉鼻子。我知道，爸爸眼圈发红以前，就会揉鼻子。

"其实，"爸爸揉了一会鼻子，语调总算恢复了正常，"我也有过一个阶段不管它们，任它们堆在储藏室里发霉。是我的女儿如愿不顾我的反对，一个个把它们挂到墙壁上。我还责备如愿，说挂出来干什么呀，好看吗？个个垂头丧气、死气沉沉的，像吊死鬼！如愿，爸爸这么说，你受到打击了吗？"

我摇头，又挺起胸，响亮地对爸爸说："那是因为他们累啦！"

　　"累啦？"允典阿姨也像当初的爸爸一样露出迷惑的表情。

　　"阿姨看过安徒生的童话《小意达的花儿》吗？"我又像当初对着爸爸讲述一样，把那段话重复了一遍，"白天，小意达看到了那些快要蔫死的花儿，难过得要哭。常为她讲故事的大学生就告诉她：'你可知道它们做了什么事情？这些花儿昨夜去参加过一个跳舞会啦，因此它们今天就把头垂下来了。'爸爸的木偶也是天天狂欢的吧，一到晚上，只要店堂里没人了，就到了它们玩的时间，玩得很疯很疯。我们都醒过来的时候，它们已经累得筋疲力尽，连眼皮都睁不开啦！"

　　"你家有一个神奇的小姑娘，没错！"允典阿姨一边听，一边对爸爸和我笑得越来越开心，小酒窝变得更深更甜啦。

　　"和你一样，我也有一样东西一直藏在箱子里，藏得太久太久了，都不敢把它拿出来了。"爸爸喝了一口红茶，慢悠悠地说。

　　我知道，爸爸是指这个孙悟空。我鼻子发酸。以前爸爸一直不肯它挂出来，肯定是想到了妈妈。

　　"记得吗？那天，如愿拿它出来给你显宝啦。你走了以后，我拍拍它，结果它身上的这个围兜脆得像纸片，碎掉啦。我想了想，决定给它重新缝一条。"

　　"噢！"允典阿姨恍然大悟的样子。

　　"它们都是有感觉的，要是被人忘记太久了，也会静静死去的。"爸爸的眼光转向箱子里那支发光的银笛，最后落在墙壁上的孙悟空身上。

　　"是啊！"允典阿姨点点头。

　　然后，两个人就静静地不再说话，只是捧着茶偶尔抿上一小口。

　　空气似乎在沉沉下坠。大人真是太容易伤感啦。

　　"它的声音一定特别好听吧？是不是像阿姨讲话一样，轻轻柔柔透透明明？"我忍不住要打破他俩的沉默。

　　"嗯，"阿姨点头又摇头，"和我讲话没得比呀。在演奏中，长笛常常用来表现少女灵秀的感觉。所以呀，不如说更像如愿你这样的小姑娘的声音。"

　　"那，阿姨有机会教我吹长笛好不好？"我灵机一动，"作为交换，我可以教阿姨玩木偶，是布袋木偶

啦，"我做出张牙舞爪的样子，"特别特别适合女生学。"

阿姨刚想说话，爸爸急急跳出来反对："不行。如愿的嘴唇不太合格。"

"啊，为什么呀？"我不服气地叫。

"有没有化妆镜？"爸爸问允典阿姨。

阿姨点头，从包里掏出一面来，也是银色的。

"过来！"爸爸把我拖到他身边，把我的身体扳转过来，和他一个方向，指指化妆镜里我撅得老高老高的嘴唇说，"吹长笛也是有要求的，嘴唇要薄一点，而且上嘴唇中间没有突起一块肉，这样吹出来的音色就会比较纯。呵呵。"

我看看自己，果然，如愿小姑娘没有如愿地长着一对秀气的薄薄的嘴唇，而且上唇中间恰巧有一小块肉肉。

转念一想，哎哟，爸爸什么时候开始研究长笛啦？

"没关系呀，只要如愿喜欢，我就教她。"允典阿姨笑吟吟地说。

我想象她长发飘飘，站在那里吹着银笛的样子，秀气薄薄的嘴唇，配上两只小酒窝窝，肯定漂亮得让人看得目不转睛。

"阿姨很喜欢长笛吗？"

"当然，很喜欢很喜欢，和你爸爸喜欢它们差不多吧。"允典阿姨纤纤长长的手指指着墙壁上大大小小神态各异的木偶。

"我还是跟爸爸学木偶表演吧。"我指指自己上唇那块小肉肉，"我怕会吹破音哦。"

"如愿还是好好学习，考上好大学再说吧。"爸爸语气一转，好像从梦里回到了现实中，"这是没用的手艺啦。现在，我也只好每天看着它们挂在墙壁上，不能动弹。"

"不一定是坏事呀。作为职业固然幸福，但是作为爱好的话，就更自由啦！"允典阿姨轻轻地说。

爸爸听了，脸上现出豁然开朗的表情，对我一扬下巴："去，把漂亮美眉拿下来。"

这个漂亮的"美眉"其实是小人鱼，是比较小的杖头木偶，一个人就可以操纵。

我高兴地应声而去。爸爸终于要在允典阿姨面前真

正地露一手啦。

爸爸走到柜台后边，蹲下来，左手举着小人鱼背后的木杖，手指转动它的头部，右手拿着连接它那鱼尾巴的木棍。

在爸爸的手里，小人鱼忽然苏醒啦，从水底深处慢慢游来啦！

"在海的远处，水是那么蓝，像最美丽的矢车菊花瓣，同时又是那么清，像最明亮的玻璃。然而它很深很深，深得任何锚链都达不到底。要想从海底一直达到水面，必须有许多许多教堂尖塔一个接着一个地连起来才成。"我趴在允典阿姨肩膀上，轻轻背诵着那些熟悉的句子。

小时候，爸爸一边演出一边带我，剧院成了我大半个家。小人鱼的演出我看了无数遍。我还记得比海洋更加湛蓝的矢车菊，还有王子镶着金边的衣服。那些明亮的颜色，一直在我心里闪着快乐的光芒。

爸爸一点点一点点起身，小人鱼整个地升出了水面！

"海底的人就住在这下面，这中间有一个最神奇最

美丽的小姑娘。她是……"

"祝如愿!"允典阿姨转过头,鼻子对着鼻子,眼睛对着眼睛,对我说。

"阿姨!"我心头一热,真想舔舔她脸上那两只小酒窝,它们那么甜蜜,那么温暖。

"想不想试试?"爸爸走过来对允典阿姨说。

"不要上当!"我咬着允典阿姨的耳朵,"这可是力气活哦。这条小人鱼足足有十五斤重,保证你半分钟就腰酸背疼。"

"不过,"我大声说,"阿姨可以为我们吹长笛伴奏呀。"

爸爸赞许地点头,热切地看着允典阿姨。

刚刚还笑眯眯的阿姨突然不笑了,站起来,吧嗒一声关了箱子,提起来:"谢谢祝家爸爸还有小姑娘,你们是绝配!我……有点事,先……先走了!"

允典阿姨再见得有些潦草。爸爸眼睛里掠过一丝丝失望。看着阿姨出门走远,他摸出一支烟插进嘴里,却没有点燃。

"阿姨还没有做好准备吧?不过,"神奇的小姑娘

祝如愿预言，"一定会有那么一天的，爸爸演，我讲，阿姨吹笛！"

No.11
宇宙超级无敌好吃便当

　　阳光灿烂的周末下午，允典阿姨突然出现啦，不过这次爸爸正好不在。

　　"允典阿姨好。"我站起来乖乖地喊，声音很甜。

　　"如愿好。"允典阿姨的眼睛在店内转了转。

　　"爸爸去演出啦，小人鱼的故事。"

　　下午爸爸就拎着道具出门了。原来剧团的同事去了一所聋哑学校，这次请爸爸过去做公益演出。电话打来爸爸就激动了，说一点没酬劳也去。

　　上次给阿姨演出后，爸爸木偶戏的瘾头就上来啦，擦着擦着灰，就手舞足蹈起来。

　　说起来，允典阿姨也是个神奇的人。她让爸爸起了神奇的变化，不但把压箱底的孙悟空解放出来啦，而且居然又开始作为一个木偶剧演员出现在孩子面前。

　　"不一定是坏事呀。作为职业固然幸福，但是作为爱好的话，就更自由啦！"就那么轻轻的一句话，像把神奇的钥匙，捅开了爸爸心底那扇生锈的门。

　　只是，阿姨有那么一点古怪。比如，情绪会转眼从晴天变成阴天。

　　不过，我知道大人都是有故事的人，有些东西是不能碰的。比如，以前爸爸的孙悟空木偶；比如，现在允典阿姨不能吹奏的银笛。

　　不过，我相信允典阿姨在不久的将来，一定会吹美美的曲子给我们听。

　　所谓神奇，就是一种无所畏惧的乐观吧。相信乌云只是暂时路过，阴天都会变成晴天。

　　"喔，那如愿一个人看店？"允典阿姨甩着两手，很轻松的样子。

　　咕噜噜……肚子发出抗议的声音。我有点害羞，手在抽屉里摸索。爸爸怎么连最后一包方便面都吃光了？

　　"如愿，怎么了？"允典阿姨耳朵很尖。

　　"没事啦，就是肚子饿啦……我叫个外卖就好。"拿起电话，手指很熟练地拨了一串号码，"喂，麻烦你，一客大排盖浇饭，木头人碟片行。噢，多放点葱。别忘了，要浇点肉汁，上次你们的大排干得像木屑。"

　　"你们平时都吃外卖吗？"允典阿姨问。

　　我点点头，又摇摇头，苦着一张脸："爸爸一百年都是番茄炒蛋，我都要变成一只大番茄啦。"

　　这次，允典阿姨没借什么碟片，而是买了一张长笛独奏的音乐碟，一边付款一边表扬："嗯，不错呀，这张《金魔笛》我可是找了很久。没想到，你爸爸进碟片还挺专业的。"

　　呵呵，允典阿姨不知道，爸爸可是连《长笛基础教程》这样的专业书都抱回来啃了呀！

　　允典阿姨在店里放了那张《金魔笛》的音乐大碟。

　　我们听了莫扎特的《F大调奏鸣曲》，又听了普契尼的《精灵之舞》，还听了维瓦尔第的长笛协奏曲。

　　不过我还是最喜欢维瓦尔第的《金翅雀》，因为长笛模仿金丝雀唧喳呢喃，实在太绝了，好像是真的金丝

雀在叫，又比真的金丝雀叫得还要好听一百倍。

允典阿姨说，那是音乐的魔力，而且"长笛是那样一种乐器，不是越用力就越动听的。轻的时候是最难吹的。你听，你听，詹姆斯·高威吹的，像丝绸一样静止"。

"丝绸一样，静止？"我有点不明白，不过，想一想马上就想出来啦，"是不是像巧克力呀洗发水的广告里说的，什么丝般柔顺？"

"哈哈，如愿真聪明！"允典阿姨脸上的小酒窝像调皮的小皮球一样，一跳一跳的。

"詹姆斯·高威，长笛之王。他的长笛是白金做的。"允典阿姨告诉我。

我又侧耳听了一会，白金笛子的音色太美啦！不过，我最想听的，还是允典阿姨的银子长笛。

"高威送给他夫人一支黄金长笛，后来又后悔啦，想讨回来，因为音色实在太美啦。"

"阿姨的长笛也是别人送的吗？后来他也后悔啦，想讨回去？"

"没有，"阿姨笑得有些凄凉，"不过他把我连银

笛一起丢啦！"

晚饭的时候，允典阿姨又来了，手上提着一个三层的"乐扣乐扣"饭盒。

"如愿，爸爸还没回来吗？"她把小箱子放到柜台上，一格一格往外拿。

食物的香气立刻在店堂内飘散开来。第一层是炸得金黄酥脆的土豆饼，配上绿油油的小葱，特别漂亮。土豆饼旁边还有切得细细的卷心菜，色泽嫩绿，泛着一层油润的颜色。第二层是三条鲜嫩的小黄鱼。第三层则是一格香喷喷的饭。饭上还有个煎成心型的荷包蛋，咖喱的香味横冲直撞地跑了出来。

我眼睛发直，忍不住咽了一口又一口水："允典阿姨，你太会做菜啦！"

"呵呵，你快来尝尝味道吧。"允典阿姨又拿出一双筷子和一只勺子。

筷子和勺子都是Hello Kitty的，特别是筷子，真的超可爱，每根筷头都有一个可爱的Kitty，戴着粉粉的蝴蝶结。

在允典阿姨温柔的注视下，我拿起了筷子和勺子。心里头翻江倒海的，那种要被大浪扑倒的心情整个淹没了自己。我甚至觉得有水渍从自己的身体内部渗出来了，于是拼命低下头，把自己埋进饭菜里。吃着吃着，只有一个感觉，好吃，太好吃了，宇宙超级无敌好吃！有多少年没吃过这样的家常饭菜啦？

不好意思过去啦，要掉出眼泪来的感动过去啦，光剩下令人快活的食欲。

大口大口吞咖喱饭时，允典阿姨问我辣不辣。她用的是印度咖喱。她说便利店里的熬点更接近马来西亚咖喱，带一点点甜，属于温和清新的咖喱。

我也来劲了，大谈特谈辣椒和咖喱的不同："比起辣椒那种光叫人冒汗吐舌头的辣，我更喜欢咖喱那种叫人夸张地打喷嚏的辣。辣椒是辣过了以后，会说怎么这么凶呀，然后光剩下后怕。咖喱呢，是辣了以后，会说怎么这么幽默这么刺激呀，然后舌头好像还在跳舞。"

允典阿姨一直托着下巴，很享受地看着我筷子加勺子像雨点一样落在饭菜上。

听了我的一段比较，她啧啧赞叹："神奇的咖喱！

神奇的比喻！神奇的会吃的小姑娘！"

饭后，拍拍圆滚滚的肚皮，我建议允典阿姨和我一起看张碟片，顺便也让我消消食。我擦着油油的嘴巴，一头扎进店堂里，在浩如烟海的碟片里翻翻翻。

喜剧片，还是悲剧片？港台片，还是外国片？最新大片，还是经典老片？

正拿不定主意，我听见允典阿姨在叫："就这张吧。"

No.12
没有什么地方
可以和家一样

允典阿姨好像很喜欢《绿野仙踪》，米高梅公司的老片子。她已经借过一次了，今天还要再看一次。儿童音乐电影有好听的歌，有五彩缤纷的人物，有欢欢喜喜的结局，很适合晚饭后那种幸福又饱满的心情。

我和允典阿姨并排坐在店里小小的双人沙发上，咖喱的香味久久不散。我们一边用鼻子回味着喜欢的香味，一边用眼睛和耳朵津津有味地再回味一遍《绿野仙踪》。

小女孩桃乐丝被龙卷风刮到了一个鲜花盛开的小人国。在仙女的帮助下，沿着黄砖路到绿水晶城去找大魔法师寻找回家的办法。路上，她遇见了稻草人、锡皮人和胆小的狮子。稻草人想找魔法师要头脑，锡皮人想要一颗心，胆小的狮子想要勇气。

"阿姨，你想要什么？"我小声问，"一只金子做的笛子，像詹姆斯·高威那样的？"

阿姨很肯定地摇头，然后很出神地想起来。我脱了鞋子，换个舒舒服服的盘腿姿势，同时向阿姨那里凑了凑。

"如愿，告诉阿姨，你想要什么？"

"我想要的东西太多啦！我想把木偶玩得很转，厉害到能和爸爸一起演孙悟空。我想天天有咖喱吃，咖喱熬点咖喱饭咖喱土豆咖喱鸡翅。我想到荷兰去买一双三十八码的木头鞋，在下雨天啪啪啪踩水塘，脚上一点也不会湿……"

一口气说了一连串的"我想要"，最后贪心小姑娘吹了口气，嘴巴都酸啦。

"如愿的每一个愿望都能实现！"阿姨信心满满的样子。

"嗯！"阿姨的话更让我信心爆棚。

　　一扭头，看见满头大汗的爸爸神采奕奕地站在门口。

　　我欢叫一声："回来啦！"

　　爸爸微笑着和允典阿姨打招呼："噢，你……你好呀！"大概不知道怎么样称呼允典阿姨，所以他有些轻微的结巴。

　　"你好！"允典阿姨笑盈盈地望向爸爸，"演出怎么样？"

　　"一个班一个班演过去，还没看到的孩子都哭啦，拉着小人鱼的尾巴不肯放。嗯，我下周下下周都会再去的，直到所有孩子都看到小人鱼的故事！"爸爸使劲点头，额头上的汗珠跟着滚到下巴。

　　"有点累吧？"允典阿姨关切加亲切，"如愿，应该搬个凳子给爸爸坐吧？"

　　没等我搬凳子，爸爸已经乖乖地拖个凳子走到我们两个旁边，迟疑了一下，最后还是把凳子放到了我旁边。

　　这时候片子也已经到了结尾。大伙都在载歌载舞，因为小姑娘桃乐丝终于回到老家，扑进她最亲爱

的婶婶怀里，喃喃地说："There's no place like home。"

桃乐丝的嗓子像透明的糖果，又脆又甜。

"There's no place like home。"我小声跟着念了一遍。

"没有什么地方可以和家一样！"

"没有一个地方可以和家相提并论。"

允典阿姨和爸爸异口同声地为我翻译成中文。我头向左转看看允典阿姨，头向右转看看爸爸。他俩都不出声了，都装作很专心地看着最后滚动的字幕。

气氛真不错。我们三人像一块夹心饼干。我被允典阿姨和爸爸夹在中间，就是中间最最甜蜜的小馅料吧。要是他们能靠近一点再靠近一点，哪怕把我挤扁，我都乐意。

突然，我脑子里冒出一个神奇的念头，像小团火苗越烧越旺，烧得我再也坐不住啦。我从沙发上一跃而起，跑到柜台那里，一个劲地东翻翻西找找。

"找什么？"爸爸跑过来，脸有一点点红。

原来，大人害羞时也要躲开的啊！

"大一点的白纸。啊，找到啦。"我说。

爸爸平时看店无聊的时候，喜欢趴在那里画木偶的草图。我挺喜欢那些胳膊和膝盖上装着关节的小人，所以柜台里常摆着一叠素描的卡纸。

我走回沙发那里，蹲下来，把白色卡纸放到允典阿姨脚边："用力，踩个脚印！"

"嗯？"阿姨觉得莫名其妙，看看我，再看看爸爸。

"如愿，搞什么花样啊？"爸爸也觉得很迷惑。

"爸爸别管，我有用！"我抬起头，巴巴地看着阿姨。

"那么，两只都要吗？"允典阿姨问。

"都要。"我神秘地笑笑。

"难道又和如愿看过的什么电影有关吗？"允典阿姨一边自言自语，一边脚起印落，爽爽快快地在爸爸画图的卡纸上用力踩了两个鞋印。

"和我的一个心愿有关，最大的一个心愿！"我小心翼翼地把印着允典阿姨鞋印的卡纸卷了起来，兴奋得脸都红啦。

回家路上，我展开那张卡纸看了一眼又一眼，然后捂着嘴巴笑啊笑。

"如愿，你干什么呀？"爸爸虽然觉得好奇，看我笑，却也忍不住跟着笑。

"你看允典阿姨穿的是圆头鞋呀。"我开心地点点头。

不知为什么，我就是有那样奇怪的想法：穿尖头鞋的人尖刻坏脾气，穿圆头鞋的人温和好脾气。

"如愿刚才的样子，真像个霸道的小人贩子。"爸爸说，"还好，你让允典阿姨摁的是脚印不是手印。你到底想干什么呀？"

说着话，就到家了。

"爸爸跟我来！"我直奔自己房间的窗台而去。

那双红色木头鞋在灯光下静静地发出漂亮的光芒。我取下来，头对头，跟对跟，对着卡纸上的鞋印摁下去。

"看啊！"我大叫起来，"一模一样！"

我的心狂跳。今年过年十二点钟声响起的时候，我

对着妈妈的红色木头鞋子许过愿的：

妈妈，对不起，我想给爸爸要一个像你一样好的妻子陪伴他。如果她的脸上正好也有两只小酒窝，如果她的脚恰好也是小巧玲珑的三十五码……

一双鞋子，一对脚印，丝丝入扣，仿佛同一个人和她的影子。

爸爸看看我，明白了一切，惊得有点发傻。接着，他眼睛里有两簇火花噼里啪啦跳起来啦！

一连几天，每天放学后我都帮爸爸在店里整理碟片。每听到门口的铜铃响一下，我就听见咚咚两下心跳，然后两个人几乎在同一秒钟里一起抬头。

心跳了又心跳，抬头了又抬头，有着好看笑容的允典阿姨却始终没有出现。

爸爸开始躲在柜台里，任谁进门都不主动去看第一眼。我只好上前去招呼每一个顾客。呵呵，我带着一点看好戏的心思欣赏爸爸焦急的样子。很好玩，像个蒙着眼睛胆怯的小男孩。我有点暗暗高兴，就算像小男生一样陷入相思也是好的呀，说明爸爸孤独了很多年的心热

起来啦，尤其是那一双和红木头鞋一样无比吻合的脚，让爸爸多少有点跃跃欲试了吧。

那么，男生勇敢点，赶快向前冲吧！

一次打扫卫生时，我在柜台底下的废纸篓里看到了好多好多揉成一团的信纸。

晚上，我关紧房门，把一团团信纸一点点摊平。哈，爸爸偷偷写了很多个结结巴巴的开头、中间或者结尾。

"柳女士，您好，实在太冒昧了，给你写这封信。谢谢您常常惠顾'木头人'，给我们莫大的支持……"

"柳女士，你好呀！原谅我头脑发昏啦。照说到了我这个年纪，不应该再有这样热情的想法，想和你成为朋友……"

"允典，在试探地重复地胆小地写了无数遍你的全名以后，我和这个名字越来越熟悉，所以我现在觉得，你和我已经是很熟悉的朋友，于是就这样无拘无束地叫你名字啦。可以吗……"

"允典，我喝了两罐啤酒。好吧，让我大胆告诉你，这个人为什么会莫名其妙地给你写这封信。允典，

我以为这辈子都不会再见到这样的笑容了，和如愿的妈妈一样惊人相似的清澈甜美的笑容。那笑容好像是从身体里流出的。我没有用，看到这样的笑容，一下子就没有任何抵抗力了。看到你的第一眼，我还以为女儿如愿许了十几年的愿望真的实现了……"

　　还有一封最长的，看得出爸爸是一气呵成的，我看得又感动又得意。嘿嘿，在信里他可不止一次地提到了我噢。

　　"允典，据说如果每天看十五分钟的碟片，命运就会发生变化（呵呵，这是我家的神奇小姑娘如愿为'木头人'设计的最新广告语）。我天天在看的碟片是《西雅图不眠夜》。电影里有个神奇的八岁男孩乔纳，为了帮他爸爸找到心爱的另一半，独自搭飞机去纽约，一个人来到帝国大厦顶楼……你看过吗？说实话，有几次你来店里借片，我都想偷偷把这张碟片塞进你借的那叠片子里。不过，我始终没有那么做，因为我手脚很笨。那样做的话，肯定会被你发现，那样我会尴尬的。当然，我担心你会更尴尬……"

　　啧啧，啧啧！我一边感叹，一边觉得想不通。既然已经写出了那么棒的信，爸爸为什么还要把它们全揉成一团，宁愿在角落里唉声叹气，变成一个小老头？

说到底，从愿望到行动只有一步之遥。

有太多太多理由，让我看好允典阿姨了。一，借用下周星星的台词，她和爸爸"其实都是一个演员"啊！二，她和爸爸都是孤独的单身人士。三，她和妈妈一样，脸上有一对甜甜的小酒窝。四，她的脚恰好也是小巧玲珑的三十五码，刚刚好能穿上妈妈的红木头鞋。五，她会给我做好吃的饭菜，还和我一样喜欢咖喱（我是一个多么实际的小姑娘啊！不要怪我，因为我长这么大，一次也没尝过那么暖乎乎美滋滋的有着妈妈一样味道的饭菜呀）。

那么，就让我来做一次乔纳吧。当然不用坐飞机到纽约，直奔帝国大厦顶楼，我要做的，只是做一次拼字游戏。

一点点拼组爸爸的字字句句，就像在拼一副拼图。那些一会胆小一会迟疑，一会勇敢一会直接，一会结结巴巴一会又滔滔不绝，一会语无伦次一会又沉着温柔的字字句句，我只需把它们剪剪贴贴，重新排序，就变得

有头有尾了。嗯，就是那么简单。

　　呵呵，你好！

　　关于称呼，有两种选择供你挑选：A，柳女士，您好！谢谢您常常惠顾'木头人'，给我们莫大的支持。B，允典，你好！在试探地重复地胆小·地写了无数遍你的全名以后，我和这个名字越来越熟悉，所以现在觉得，你和我已经是很熟悉的朋友，可以无拘无束地叫你名字啦……

　　假设你选择的是B（我女儿如愿预言，你一定会选择B的），允典，我以为这辈子都不会再见到这样的笑容了，和如愿的妈妈一样惊人相似的清澈甜美的笑容。那笑容好像是从身体里流出来的。我没有用，看到这样的笑容，一下子就没有任何抵抗力了。看到你的第一眼，我还以为女儿如愿许了十几年的愿望真的实现了……

　　允典，如愿不知在哪本小·姑娘的杂志上看到，说如果每天看十五分钟的碟片，命运就会发生变化。我觉得，看到你以后，我和如愿的命运正在发生着变化。

　　对于我，"木头人碟片行"的老板，真是有得天独厚的条件噢。为了实现我的一个愿望，我天天花

一百五十分钟看同一部片子。我天天在看的片子叫《西雅图未眠夜》。

那么，假设你没看过，我把这个故事复述一遍，你要听吗？

好吧，假设你点点头说要听，我就来讲给你听吧。

有个叫山姆的美国男人，自从妻子去世以后，就一直带着八岁的儿子乔纳默默生活。他相信真正的爱只有一次，自己永远找不到像他妻子一样的爱人了。

山姆说，他的妻子去世以后，"我打算天天早上起床然后呼吸。然后过一段时间，我就不用提醒自己早上起床，吸进呼出空气。然后，再过一段时间，我就不用想那段时间里我做得多好，多棒"。

那也是我的感受。我从来没有和任何人说起过那种感受。当时我就想，多好的电影，他说出了我的悲伤和绝望。我要看下去。

（事实证明，人不应该永远绝望。我女儿如愿看电影的时候，就常常坚定地相信电影里的故事也会同样降临到现实里来。我常常觉得那是小姑娘才有的稚气的乐观，可是现在，我开始有一点点相信了……）

圣诞前夕，乔纳拨了电台热线节目，诉说想要一个

妈妈。正在开车听收音机的年轻女子安妮收听到了山姆父子伤感的故事，有一种奇妙的感动促使她写信约山姆去纽约帝国大厦见面。山姆不打算赴约，乔纳却对安妮有莫名的亲近感。这个孩子独自坐飞机去赴了帝国大厦之约。

对了，如愿让你踩脚印那件事情，还有她对你的莫名却又是实实在在的亲近感（如果你愿意听），那就是生活里山姆、乔纳还有安妮的故事。

允典，听到这里，你会不会像如愿一样，明明猜到了故事的结局却还是问我："最后，山姆和安娜相见了吗？"喔，我只能说："当然，因为缘分就是那样一个有魔力的东西。"

是的，魔力，就像山姆讲的："我从第一次触到她就知道这一点。那感觉就像回到了家一样。那一切就像……魔力。"

是的，魔力。

记得吗？那天我们和如愿一起在店里看《绿野仙踪》，你和我一起脱口而出的那句话，几乎一模一样的一句话："没有什么地方可以和家一样。"

没有什么人能和你一样，有那种魔力，让我和如愿觉得，就像突然间找到了家，一个新的家。

如果，如果，可能的话，我期待你的回信……

最后署名的时候，咬了一会笔头，我一笔一画写了四个字：祝福先生。

我默默读了一遍信，觉得它完全能够表达自己和爸爸的心意。而且读的时候，我觉得就像个光着屁股长着翅膀的丘比特，挽弓射箭，红色的箭头穿过藏蓝色的信封，发出咻的一声。

当一只装有藏蓝底子黑色水笔字迹的信封外加一张《西雅图未眠夜》碟片的大号信封沉甸甸落进邮筒时，咚、咚，我清清楚楚听到了两下心跳。自己的，爸爸的。

然后，然后，回信的速度快得令我难以置信。

从邮递员的手里接过这封回信，我简直是快乐地打着旋一路旋转进了店里。

进了店里，我举着这狭长的米色信封，故意慢吞吞踱到爸爸面前。

爸爸瞄了一眼，先怔了一怔，紧接着震了一震："谁的信？"

信封上的字清秀灵巧，对爸爸来说，也许是再熟悉不过了。

木头人碟片行　祝福先生亲启

霎时间，爸爸的眼睛像火柴一样被擦亮了，露出不能置信的神情。

呵呵，就算一个人已经四十多岁了，他照样可以遇到爱情童话。何况，他还有一个叫如愿的神奇的女儿呢。

爸爸有点小气，不肯给我看在那只米色的信封里允典阿姨到底写了些什么。不过，他又忍不住说："嗯，她一定看了好几遍《西雅图不眠夜》。"

"是吗？"我特别高兴。

我自作主张寄出的碟片可起作用啦，它让爸爸的信变得更加有声有色了呀。

"嗯，"爸爸美滋滋地说，"她用了安妮对山姆讲的话：'从一个人的声音会知道他是怎样的人，你是我听过的最帅的男士。'从一个人手心里的木偶知道他拥有灵巧的身手还有善良的心，你是我见过的最童话的男士。"

"太好啦！"我握握拳头对他说，"爸爸，加油啊！"

爸爸和允典阿姨的童话很快进入顺利进行的轨道，一个情节一个情节地发展。爸爸堕入情网，每天睁开眼睛，都希望看到允典阿姨微笑的眼睛。就像我想的那样，他希望允典阿姨和我们成为真正的一家人。

这个甜蜜的愿望每每到了爸爸唇边，却怎么也出不了口，他就傻呵呵地笑啊笑，笑得允典阿姨忍不住问他是不是有什么话要说。

爸爸马上紧张地摇头否定："没有，没有啊！"

等允典阿姨一走，爸爸又后悔莫及，垂头丧气。

不过应该承认，爸爸在一天比一天进步：从不敢约允典阿姨出去玩，到每周会早关门一天，去站台接允典阿姨下班，约允典阿姨一起吃晚饭，饭后两个人再慢悠悠地散步。

爸爸的笑容一天比一天多，整天都把自己收拾得干干净净，这些年消失的活力，好像充气气球般逐渐膨胀。

可是好几个月过去了，爸爸和阿姨之间的关系有点像又长又平淡的婆媳剧，除了吃饭、散步，还有就是一起看碟片。

看碟片的时候，两个人并排坐在那里，中间留着那么两三寸的距离，很近，但好像彼此都不能再靠近一点。

尽管阿姨经常会来店里转转，会带好吃的熬点或者家常菜给我吃，对我有求必应，像一个真正的神仙教母。但从这步走到那步，中间的距离依然存在。教母和妈妈，性质不太一样。在教母面前，要做个乖孩子；在妈妈跟前，就可以撒娇啦。

我不是特别想撒娇，可还是想没有任何负担地粘在阿姨身边，做一个没有心事的孩子。

我想要一个妈妈。我想阿姨会像真正的妈妈那样待我。这个梦已经做了太久太久了，久到每次生日我都会许愿，久到每次爸爸生日我也会许愿，久到每过一年我都会许愿。加起来，在我短短的生命里，也有几十次啦。

现在，愿望就好像马上要滴进嘴里的蜜，只差一点点就能触到的幸福。

"再快乐的单身汉，迟早也会结婚。幸福不是永久的嘛！"我现学现用加菲猫的台词。

　　"爱情就像照片，需要大量的暗房时间培养。"爸爸马上反驳，用的还是那只肥猫加菲的原话。

　　天哪，暗房，大量的时间……要是允典阿姨逃了可怎么办？

　　我不再袖手旁观。神奇小姑娘要再一次出手。

　　找来一大堆碟片，什么《101次求婚》、《拜见岳父大人》、《理智与情感》等等，要爸爸恶补。

　　"爸爸，你可以和允典阿姨耍一次赖；对她说'为了你我不会死的'，然后扑到别人的车面前。"

　　"你不怕爸爸出危险呀？"

　　"呵呵，你可以扑到别人的自行车面前。"

　　爸爸赏了我一个爆栗："歪主意！我可不想像个无赖。"

　　"这可是《101次求婚》的经典镜头呀！"我痛哭。

　　"那要不这样吧，你当我是允典阿姨，你现在就对着允典阿姨，把你想说的话说出来。"

　　"你是祝如愿小姑娘，不是柳允典大女士。"

　　"我假扮呀。"

　　"假扮也不行。"爸爸很固执。

　　"喂，爸，你还想不想让允典阿姨和我们生活在一起啊？"我怂怂地说，"再说，你难道不是一个演员吗？"

　　"我今天来这里并不抱任何期望，我只是想告诉你，我的心将永远属于你……"爸爸像读书一样一字一句把《理智与情感》里的经典对白读出来。

　　"生硬，无趣，没有感情。"我给他打三十分。

　　"我愿意用我的一生去了解你……"爸爸清清喉咙，声音怪怪的。

　　"爸爸，如果我是允典阿姨，我不会给你任何机会了解我的。"我拿出很老成的样子。

　　爸爸把我整理的记着台词的本本一摔，颓然坐在椅子上："如愿，这些影视剧未必适合我呀！你不觉得这种台词都太戏剧性了吗？"

　　我把台词本捡起来，指着《爱情麻辣烫》说："要不我们录个混声磁带吧，就像这部片子里一样，把你想说的话告诉允典阿姨。"

　　爸爸扳扳手指："说话不是我的强项，我怕说不好。"

"那再写信？"我眼珠一转，"上次是告白，这次直接说。允典，请你做如愿的妈妈好不好，好不好呀？"

"如愿，爸爸和你一样，很喜欢很喜欢允典阿姨。允典阿姨应该也一样，很喜欢你，也很喜欢爸爸。不过，爸爸觉得允典阿姨还在犹豫，到底要不要和我们生活在一起。"

"犹豫什么呀？"我想不通，"我爸爸木偶剧演得多棒！我爸爸还有一屋子的碟片，允典阿姨想看什么想听什么应有尽有！"

爸爸抽出一根烟，点着。他好久没有碰烟啦。

"你爸爸啊，除了会玩木偶，没有其他更有用处的赚钱本事。这个小小的店，也只是维持生活而已。如愿每天想吃咖喱熬点都成了奢侈的愿望，所以允典阿姨经常买给你吃。她大概是同情我。我们两个没戏。"爸爸说的话又凄惨又悲凉。

我咬咬嘴唇："不是的，爸爸是最棒的，是我最喜欢的爸爸。"

No.15
变成童话里
你爱的那个天使

　　我现在有点确信，祝如愿就是一个神奇的小姑娘，因为每次泄气以后，才过一会会，我马上又能给自己打足气。

　　"爸爸，允典阿姨不是说过'从一个人手心的木偶，知道他拥有灵巧的身手还有善良的心，你是我见过的最童话的男士'那样的话吗？"

　　如果木偶也会说话，爸爸肯定自信十足。

　　我想起老爸的木偶剧。木偶牵在爸爸手上，他的眼睛就会发光，脸庞就会发亮，就像允典阿姨说起她的长笛，会格外自信和动人。

"爸爸，要不我们不用念台词，也不用写信，就演一场木偶剧试试？"我把墙壁上的木偶统统取了下来，白雪公主、青蛙王子、小人鱼、赤膊的皇帝、孙悟空、皮诺曹……

"演哪一个呢？"我有点发愁，爸爸能演的木偶剧，一抓一大把呢！

爸爸虽然没有表态，不过也来了精神，掐了香烟，目光在一堆木偶里跳来跳去。

我一样一样拿起来。

"白雪公主？要是允典阿姨看到拿毒苹果的王后后妈……哎哟，我的妈呀！"我吐吐舌头，赶紧放下。

爸爸拿起了青蛙王子，把它头上歪了的小金冠扶扶正。

"不够帅！"我摇头。

"小人鱼，上次给允典阿姨演过啦，没新鲜感啦！"挥挥手，我让她出局。

"孙悟空，呵呵，总不能对允典阿姨说，我翻一百零八个跟头，你就嫁给我吧。"

唉，一番筛选，居然没有一样入我眼。

不要怪我过分苛刻，那可能是爸爸一生中最最重要的一次演出啊！

"允典阿姨，你喜欢看童话故事吗？"周六下午，爸爸又去朋友任教的那所聋哑学校演木偶剧。允典阿姨又带来做好的饭菜给我吃。这次是咖喱土豆牛肉。我一边把嘴巴塞得满满的，一边抓紧机会问她。

"喜欢啊！小时候最喜欢看《睡美人》。王子披荆斩棘去见公主，然后轻轻一吻。沉睡的公主打着哈欠坐起来，第一眼就看到英俊的王子。太浪漫了！以前每看到这里，就会快乐地叫起来，好像自己就是那个被吻醒的公主一样。"允典阿姨露出小姑娘一样神往的表情。

"阿姨，你说童话真的存在吗？"

"只要相信，我想童话会有的。可是，要相信真的很难，那得有天大天大的幸运，还得有足够足够的勇气吧。"允典阿姨认真地说，脸上流露出一丝丝苦涩。

"如愿，土豆会不会太淡啊？我切得太大啦。"允典阿姨马上换话题，嘴角浮现的浅浅笑容很快覆盖掉了那一闪而过的苦涩。

"不淡不淡，可香啦！"咖喱有小小的兴奋作用吧，我吃得都要摇头晃脑啦。

"如愿和阿姨不一样，如愿会遇见童话的！"阿姨被我的模样感染了，嘴边那两只小酒窝跟着跳出来了。

"童话，童话……"我咀嚼着又浓又香的牛肉土豆，也反复咀嚼着这两个字。

嚼着嚼着，脑子里跳出了一个绝妙的好主意！

星期一下午，爸爸穿上我最喜欢的白T恤和米色卡其布裤子，从家里冲出去。冲下楼梯冲向大街冲向出租车，在音乐厅跳下来，一路勇敢地大踏步走过音乐厅的长廊，走向排练厅。

爸爸的步幅好大，速度好快。我一路小跑跟在爸爸后边，一边跑一边仰头看着长廊天花板上的浮雕，全是胖胖的小天使，吹笛子的，拉小提琴的，荡秋千的，还有咬手指挠痒痒的呢。

我们在排练厅门口站了一会。一场排练刚好结束。我和爸爸稳了稳心跳，调匀呼吸，然后一起倒计时：one、two、three！我在左边，爸爸在右边，同时推开

了门。

大厅里有嘈嘈切切的人声，零星的乐器声，可在我们推门的一刹那，全都静止了。因为，王子出现啦！

爸爸左手睡美人，右手漂亮的戴金冠的王子；对面，一个乐队的所有的人都注视着他。爸爸谁都不看，走进他们中间，一路绕过指挥台、乐架还有琴凳，径直走到允典阿姨面前。她好像有点憔悴哦。是不是也在期待这一天，所以晚上和我们一样睡不着？

爸爸右手里的王子优雅地弯一弯腰，背后的我赶紧亮出快活明亮的嗓子："嘿，我是如愿先生，你愿意听我唱支歌么？"

然后，我飞快地摁下了手里那台大功率录音机的放音键，整个大厅顿时回荡起光良那无比温柔好听的声音：

我愿变成童话里你爱的那个天使
张开双手变成翅膀守护你
你要相信
相信我们会像童话故事里

幸福和快乐是结局

一起写我们的结局……

王子单腿跪下，镶着金边的斗篷垂下；王子低下头，吻向睡公主；公主猛地坐起，惊讶地捂住嘴唇；王子向公主张开双臂，他们深情相拥……

我太了解爸爸了，只要木偶的线捏在他的指尖，所有的紧张木讷都会不翼而飞。王子和公主在他灵巧无比的双手下无所不能，灵魂被整个激活，光彩焕发。

我深深呼吸，闻到爸爸半旧的衣衫散发出阵阵阳光的清香。

爸爸左手公主，右手王子，左右开弓，一个人演一场完整童话，把大家都震住啦！掌声哗哗，架子鼓咚咚，小提琴吱吱，整个乐队都为爸爸欢呼啦。

允典阿姨变成了一个小姑娘，捂住嘴巴，眼睛里亮晶晶的，唇边又浮现出熟悉的酒酿圆子一样甜甜的深深的笑容，就像两颗突然被擦亮的星星。

哈，超级成功的光良的《童话》木偶MV。导演：祝如愿；演出：如愿先生。

未卜先知的小巫婆

　　我向爸爸竖起大拇指，意思是你真棒！跟着手掌并拢，笔直向前一指，意思是老爸冲啊！

　　爸爸鼓足了天大的勇气，面对着允典阿姨，慢慢张开双臂。

　　嗯，是的是的，我的爸爸愿意变成童话里那个天使，张开双手变成翅膀来保护你，我们都喜欢的允典阿姨。

　　可是阿姨，你为什么把小酒酿圆子收起来了？

　　可是阿姨，你为什么一点点低下头故意不去看爸爸？

可是阿姨，你为什么慢慢把两只手藏到背后去？

"谢谢，谢谢！"允典阿姨终于开口了，"如愿先生，我非常想答应你，连那部电影，就是《西雅图不眠夜》里都有这样的话，'女人过了四十想出嫁就难了，被恐怖分子杀死都比这容易！'哈！"允典阿姨笑得怪怪的，眼睛里有泪花涌出，"不过，现在不行，真的不行！"

啪嗒，她关上长笛盒子，在大家惊讶的目光里，飞快地提着盒子，从架子鼓、乐器架子、靠背椅的缝隙里磕磕绊绊地逃走了。

那样子，与其说是一个从长长的梦境里惊醒的公主，不如说是午夜十二点狼狈逃走的灰姑娘。

咔、咔、咔！爸爸依次垂下手臂，垂下肩膀，垂下脑袋，动作像个木头人。

啊，啊，啊！我依次睁大眼睛，张大嘴巴，抱住脑袋。为什么啊？

终于有人同情形容悲惨的如愿先生和他家的如愿小姑娘了。拉小提琴的阿姨拉拉爸爸，意思是有话对他

说。他们在角落里悄悄说了一会话，爸爸的表情变得越来越凝重。

我既紧张又担心，允典阿姨身边发生什么不太好的事情了吗？

等爸爸和那个拉提琴的阿姨说完话，我拉着爸爸就跑："快，到香花桥找允典阿姨去。"

回去的路真的好长好长。

终于到了香花桥路口，爸爸站住了："如愿，不要走进去了，我们回店吧。允典阿姨已经把房子卖掉了。"

"房子卖掉啦？"我傻啦。

爸爸吞吞吐吐地说："听说她家遇到了点困难，她就把房子卖掉啦。"

我没法去想象允典阿姨遇到了多么大的困难："那么现在，阿姨无家可归了？"

爸爸一下一下点头。我们一起拖着重重的步子，一前一后穿过马路。进了店里，爸爸直接把门关了，慢吞吞地把王子和公主挂回墙上。

他退后几步，自言自语："好像头有点歪。"

他走上前去扶扶正，再退后几步检查。

"鼻子很脏啊！"他又掏出纸巾去擦。

"爸爸，有什么好擦的呀，王子又没流鼻涕！"

爸爸"哦"了一声，转而去擦公主的脸蛋。

"公主也没哭哟。"又等了好一会，我终于忍不住了，"爸爸现在应该去找允典阿姨，而不是在这里擦灰。"

"找到了又怎样呢？她说了不行的。"爸爸的勇气，好像刚刚在排练厅里统统用完了。

"阿姨只是说现在不行，又没说将来不行。"我走过去，推着变成胆小鬼的爸爸，一步一步往门口方向移动，"允典阿姨刚刚说的现在已经变成过去了。爸爸，重新再努力一次，加油！"

"让我想想，上哪去找你的允典阿姨呢？"被推到门口，爸爸好像也重新有了勇气。

"不用你找，允典阿姨自己会送上门的，爸爸你只要开门迎接。"我像个未卜先知的小巫婆。

话音刚落，传来轻轻的敲门声。

爸爸拧开锁头，惊讶到结巴："允……允典？"

"我搬家啦，想起还有片子没还你们。"允典阿姨语调平静，脸色憔悴。

嗯，就在爸爸磨磨蹭蹭擦灰的时候，我给阿姨发了一条短信，什么废话也没说，只干干脆脆通知："'木头人'友情提醒：你借的《星空奇遇》今天到期啦！"

我知道允典阿姨是绝对认真和守信的人，果然……

两个大人开始对话。我自动退到一边，乖乖地不发声。

"是这张吧？"

"是这张，谢谢！"

"嗯，是我借的最后一张。"

"最……最后？"

"嗯，搬家啦，我再到这里来就不方便了。"

"噢。"

"片子都很好看，我都记住了。谢谢你呀。"阿姨特地转身对我笑了笑。

我的心直往下沉。道谢之后，该是再见啦。

果然，允典阿姨说声"再见"，然后，转身，背影眼看要消失在门口。

"是不是我今天演得很糟糕？"爸爸在她身后发出绝望的声音。

允典阿姨整个人转过身来，用力摇头："是我的问题，对不起。"

"你的问题？"

"房子没了，我不想有被收容的感觉。"

"我终究不是王子。"爸爸叹气了，"张开双臂也变不成翅膀。"

"生活和歌里唱的不一样。生活和童话不一样。生活和电影不一样。生活要难得多。"允典阿姨一句接一句地说，像电影里那种饱经沧桑的女主角。

"为什么要那么想！"我气呼呼地大叫，"阿姨，房子没了怕什么？这明明是老天给的一个好机会，让你拥有一个新的家！"

"阿姨，你难道没仔细看这张《星空奇遇》吗？里面说：'上帝把我们身边最好的东西拿走，其实它是想给我们一件更好的东西。'现在，更好的东西来了，我们想给你一个家，阿姨要不要，要不要？"

当我和爸爸遇见允典阿姨，就开始相信这世界上是

有心想事成的事情的，这种事情就叫做童话。现在，该轮到我们让允典阿姨相信，这世界上真的是有童话的，谁叫她遇见了一个叫做祝如愿的小姑娘和她的爸爸呢！

我们三个人静静站着，天静静地跟着黑了。

店外街道上的路灯，一盏接一盏地亮啦……

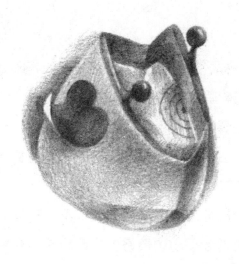

吉利哥哥从天而降

　　除了咖喱，甜食里我最喜欢巧克力了，尤其是不甜不腻味道刚刚好的巧克力，所以我只认准一个牌子叫明X的买。可惜价格实在太贵，一盒价格在十六元上下浮动。对一个尚无经济来源的小姑娘而言，一星期吃一盒已是极限。

　　一盒明X澳大利亚坚果巧克力共十二颗，约八十七克，怎么也不够一天吃两颗，所以我只好掐掉周一的头再掐掉周日的尾。

　　所谓因时制宜，不过就是一个巧克力吃不够的馋嘴小姑娘能想出的最好办法。

所以当我走进便利店，看见货架上赫然几个大字"买一送一"，激动的心情简直按捺不住，一连念起哈里路亚或阿米豆腐。就好像许了十几年的愿望后，有仙女飞下来，手里握着仙杖，上面镶嵌的钻石发着纯净的光，在空中折射出美丽的光华。

"祝如愿，你的诚心感动上天，特赐你慈母贤兄……"以下省略几万字。

以上剪掉剪掉剪掉！

这种阿米豆腐的事情对我这个年纪的小姑娘来说有点陈旧。我们现在看的，可都是哈利·波特和龙骑士，所以再剪掉剪掉剪掉！

现在，剪刀手祝如愿左手两盒最爱的坚果巧克力，右手一颗红得透亮的进口苹果，在自家店里梦游一样飘来飘去，对着墙壁上的木偶宝贝们发出令人大跌眼镜的痴笑。

我抛给一脸不好意思的白雪公主一个特别的笑容："后妈的手里拿着毒苹果吗？No！后妈都要狠狠抢夺国王对公主的爱吗？No！"

童话有时会成真，有时却又在颠覆。但对现在的我

来说，正过来反过去都可能是幸福。

更令人大跌眼镜的人正躲在柜台后面干好事呢。爸爸津津有味地捧着大杯熬点吃个不停，嘴巴上挂着一圈咖喱胡子。他那样子，好像心里和胃里都美滋滋的。

我心里也美极了。

下午四点，到了我咖喱熬点时间，爸爸主动说我们到便利店搞点吃的。结果我敞开肚皮吃了熬点又吃巧克力，吃了巧克力又吃进口苹果。

喝完吃完，我们抹抹嘴巴拍拍肚子，早早关了门。爸爸要叫车去接允典阿姨，我回家收拾下，因为允典阿姨就要搬进我家来住啦！

"如愿，我们家可能……可能还要增加新的成员……"临上车时，爸爸突然拖泥带水地说。

"喔，"我想了想，大叫，"小BABY，不会吧？"我叫得太大声了，出租司机都探头出来看我。

"乱叫什么！"爸爸登时脸红了，一把捂住我的嘴巴，"待会你看到就明白啦。"

"新、的、成、员？"我迷惑又兴奋地目送载着爸爸的出租车绝尘而去。

回到家，我做了一件事情，把妈妈的木头鞋子从窗台上取下来，分别放在我的两只膝盖上。

"如果，她的脸上正好也有两只小酒窝；如果，她的脚恰好也是小巧玲珑的三十五码；如果，爸爸喜欢她我也喜欢她……"

这个过去一直没实现的愿望，一直放在妈妈右脚的鞋子里，每天都在发酵，发热。

今天，它可以放到叫做祝如愿的那只左脚鞋子里了。因为，允典阿姨加上爸爸加上我，就要成为完美幸福的一家人啦！

门铃响了。我一个箭步跳到门口，深深深呼吸。三秒钟过后，我猛地打开了门。

允典阿姨白裙飘飘，手里提着那只熟悉的长笛盒子。

她背后空空荡荡的。我探出头去，在门外左右扫了两眼。电梯这边静悄悄的，楼梯那边也没有传来脚步声。

"爸爸呢？"

　　"他们搬我的大箱子呢。"允典阿姨怪不好意思地说，"我不该穿白裙子，他们什么东西都不许我提，怕弄脏了。"

　　我打量允典阿姨的白裙子。一字领，露出漂亮的肩胛；一泻到底的裙摆，像微微荡漾的水波。

　　"真好看呀！"我露出赞美加羡慕的眼神。

　　我也好想有这样一条纯白裙子，纤尘不染，清新漂亮。

　　"如愿，没什么礼物给你，这个……"允典阿姨变魔术一样，忽然亮出一条白裙子，一模一样的简洁但令人惊艳的一字领，一模一样的美人鱼一样荡漾的裙摆，只是在左肩胛的位置盛开着两朵小小的透明的花。

　　"呀！"我睁大了眼睛，一边拥抱阿姨一边由衷地惊叹，"你真是我的大仙女！"

　　"只要如愿想的，就会心想事成，不是吗？"允典阿姨话音刚落，我的眼睛越过她的肩膀，再一次睁得大大的。

　　哼哧哼哧，爸爸和一个高高大大的男孩子一起抬着一口大箱子来到我们面前。

爸爸有点局促不安地看着我："噢，如愿，这、这是允典阿姨的儿子，叫卫吉利。你、你应该叫他哥哥吧？"

卫吉利也盯着我看。我不由得松开了拥抱允典阿姨的双手。

双眼皮，眼睛大大的，鼻子挺挺的，有点好奇地盯着我看。

我呆呆看着这个男孩，有点发懵，脑子里乱作一团，好像翻箱倒柜在找什么。

允典阿姨找出一块抹布，把箱子擦干净了。卫吉利坚持要脱鞋子，再和爸爸一起把箱子搬进屋。

他们的举动让我觉得温暖。嗯，就是家人的那种感觉。

卫吉利先脱左脚的鞋子，然后一只脚跨进门来。我一低头看见他的脚趾，突然像被砖头砸中脑袋，顿时大脑充血。我转身飞快地跑进房间，砰地关了房门。

其他人都愣了。静止，一个很长很长的长镜头。

爸爸和允典阿姨都来敲门，如愿如愿地叫着我。敲

了好大一会儿，我出来了，可是感觉好像在梦游，整个人恍恍惚惚的。

爸爸看着我，忧心忡忡。

卫吉利在门口系鞋带，一个大背包拖在地上，随时要开拔的样子，嘴里不停地安慰允典阿姨："那边房子还没退租，我可以住那里。别担心，有空我会来看你的。"

允典阿姨手足无措地站在旁边，留他也不是，不留他也不是。

"哥哥！"一声呼唤从我嘴里飞快地窜了出来，"不要走！"

我的态度转变之快，对从天而降的卫吉利接受之快，简直是宇宙超级无敌速度。爸爸和允典阿姨愧疚又迷惑地望着我。卫吉利蹲在那里，一只脚的鞋带快系好了，也停了下来。

我三步并作两步跑过去，不由分说地命令他："左脚伸出来！"

他乖乖照做，把脚伸了出来。

我蹲下来，一边三下两下解开鞋带，一边不管不顾地说："我曾经许愿说:'给我一个妈妈吧。'然后又贪心地悄悄补充,'再给我一个哥哥吧。'结果,你看,允典阿姨真的要成为我的妈妈了,不可思议呀。然后,突然,一个哥哥真的从天而降了。你知道,当一个人真的事事如愿了,她也会因为过度吃惊而一时难以适应的。对不对?"

爸爸和允典阿姨露出不可思议的神情,接着又呵呵笑起来。

"阿姨,你跟我来!"我牵着阿姨的手走进我的房间,爸爸跟在后面。

我把窗台上那双美丽的红木头鞋小心翼翼地抱下来,然后蹲下来放到阿姨脚边,再仰起头问:"记得我让你踩脚印的事吗?"

阿姨点点头。

"穿穿看,我敢保证这双鞋完全合你的脚!"

阿姨小心翼翼地把两只脚伸了进去。真的,严丝合缝,百分百合脚。

白裙、红鞋的允典阿姨,在我和爸爸欢喜的注视下,两只小酒窝,甜蜜羞涩地跳出来了。

　　“祝你和爸爸一直这样幸福下去！”我咕哝着，眼
角有幸福的泪花盛开。

　　站在门边的爸爸，眼里也有幸福的泪花盛开。

允典阿姨真是大仙女，来到我家，最先报到的第一个地方就是厨房。我家的厨房已经冷清了好长时间。这下，终于有主妇在那里忙碌啦。

一家人吃上了丰盛的晚餐。我家的四方饭桌第一次被四个人团团围坐着，有一种惊喜而圆满的味道。

允典阿姨喝了一点点红酒。微笑的、微红的她容光焕发地看着爸爸时，我真的为爸爸感到幸福。

卫吉利好像有点别扭，低头往嘴巴里猛扒饭。

"吉利哥哥，有没有人告诉过你，你长得有点像吴尊呢？嘿嘿，天上掉下一个帅哥哥，我不要白不要！"

我大声地说。

他嚼着饭，头也不抬，说："我敢肯定你比S.H.E里的那个Ella长得好看多了。"

"真的呀？"我喜滋滋地笑了。

Ella就是和吴尊演《花样少年少女》的搭档呀！她演一个女扮男装进入吴尊就读学校的女孩。吴尊特别疼她，也许有那种既像兄弟又像妹妹的奇妙的混合感觉吧。

以后，我家的小日子好像真的被仙女棒点过了一样。

我漂亮的小拇指指甲是允典阿姨给画的。薄薄的指甲壳上，一朵小白云，一朵小红花。我常把手平摊在桌上。阳光透过玻璃窗洒在手上。每个手指头上，都好像有一点点光芒，虽然不够耀眼，却很温暖。

家里的衣服都熨得这么挺。我从来没想到衬衫领子可以这么挺，简直比得上刚从服装店买的未拆过封的新衣。我那件黑色的百褶裙，也被允典阿姨熨得像风琴一样层层叠叠。

木头人碟片店也大变样了。原本砖黄色脏兮兮的沙

发现在换上了清新的淡绿色套子。要是有风透过窗户，会卷起漂亮的米白蕾丝窗帘……

我实实在在地明白了，为什么大家都需要一个妈妈。有妈妈的日子完全不一样，更新鲜，更快活，每天都充满期待。

早上，一家人在铺着玫红与藏蓝交织的苏格兰格子桌布的餐桌上用早餐，三明治加煎鸡蛋，热牛奶，还有允典阿姨刚榨的橙汁。

每个人都有不同颜色的杯子。爸爸是藏蓝的，允典阿姨是红色的，我是橙色的，吉利哥哥是草绿的，都是颜色纯正的单色杯子。

我和允典阿姨还要比吉利哥哥和爸爸多吃六粒红枣。呵呵，这下我知道允典阿姨的笑容为什么会这样甜了。

允典阿姨会自己做包子。包子皮薄馅多，一咬汁水四溅，好吃极了。至于什么葱包啊花卷啊，阿姨做起来更是轻而易举。做好一些放在冰箱上层冻得硬邦邦的，吃的时候蒸笼上一蒸，方便极了。泡面这等垃圾食品统统被丢进了垃圾桶。一日三餐是变着法儿地换。阿姨

好像学过营养学，又好像上过烹饪课，总之那菜就别提多好吃了。一个多星期下来，我就忍不住抱怨：天哪，再这么吃下去我会变成小猪耶！

这种抱怨太幸福啦。

周末的午后，是下午茶时间。有茶水和糕点，都是允典阿姨亲手做的。家里还买了个烤箱，一到周末，阿姨就会大显身手，房间里到处飘着浓浓的奶香……

第一个周末喝茶，我看见茶叶尖尖上有毛，还以为发霉了，冲进厨房吐在水槽里，再洗洗嘴巴。

允典阿姨正好在收拾水池，一眼就看见了她的茶叶，连忙说："如愿啊，这可是叫白毫银针的极品好茶呢！"

我吐吐舌头。嘿嘿，长这么大，我喝得最多的是可乐、雪碧、美年达，这样慢吞吞悠悠然泡的茶水，还真有点不适应呢。

"虽然不是说如愿一定要做淑女，不过，女孩子还是多喝茶好啊！"

允典阿姨最喜欢红艳透明的祁门红茶，喜欢卷曲的碧螺春。沸水直线而注时，银绿隐翠就像白云翻滚一样。

我不再大口灌冰冻可乐，越热越要喝热茶。就像允典阿姨说的，那股暑气会随着汗水和茶水一齐蒸发掉，留下幽幽的茶香萦绕在你的舌尖。

我们都沐浴在允典阿姨的微笑里，像是清泉从身体里汩汩流淌出来，嘴角在笑眼睛在笑眉毛在笑。有阿姨滋润照耀着的日子，每天都明媚而美妙。

我家的生活笃笃实实地好起来。一天一天，我和爸爸也像蒸馒头一样，发胖发胖发胖。

接近卫吉利，是不可以着急的事情，需要一步一个脚印。

这个哥哥话不多，也不大跟允典阿姨亲近。我总是偷偷打量他，一被他发现，就把眼睛一转，装出茫然望向远方的样子。

哥哥学习很好，作业本上全是A。有一次我还看到他在看微积分。哇，每一道题对我来说，都像天书一样。

哥哥有个MP3，银白色的，很漂亮。允典阿姨说这是Apple的nano，是他去年期末考的时候买的。那次期

末考，他考了全班第一呢。

　　我想听听他MP3里有什么歌，可是又不敢。也许，以后会有机会吧。

　　"干吗偷看我？"某个午后，在阳台上，偷窥女生被抓到了。

　　"我没有。"我抵死不承认。

　　"还说没有，今天在饭桌上，你就偷看了我十五回。"

　　"哇，你怎么连这个也知道？"我咋舌。

　　说实话，我真的不清楚究竟偷看了他多少眼。

　　"那你是承认了？"

　　"你就坐在我对面，我不看你看谁啊？再说了，你怎么知道我在偷看你？"我嘻嘻地笑，"难道你也在偷看我？"

　　哥哥讥笑我："你的眼睛就好像斜眼一样拼命斜过来看我。我真的第一次发现原来人类的眼睛居然能斜到这个角度！"

　　"卫吉利！"我生气地大喊。

　　"是吉利哥哥。"他又换了个笑容，不过这次是微

笑，露出两个小酒窝，好看。

"你可以叫我吉利哥哥，也可以叫我哥哥，再省略一个字叫哥也行，可是不准叫卫吉利，没大没小。"

"吉——利——哥——哥——"我甜甜地叫着，除了第一次是脱口而出，第二次的感觉更好一些。

卫吉利显然没想到他面前的这个家伙会叫得这么爽快，愣住了。

"哥，我真的很想这样叫你，韩剧里都是这样叫的……吉利obba。哈哈，感觉真好。"我说，"唉，十几年了，第一次这样叫，感动啊！"说完，我摆摆手，踱着八字步，自顾自走了。

"你！"吉利哥哥差点暴走。

哥哥妹妹对战第一回合，妹妹胜。

我的妹妹就在这里

　　如果你有一个哥哥，不幸的是他又比较帅，你会有什么下场？

　　往好处讲，你这一辈子可能就会被汹涌而来的数不清的羡慕、嫉妒的眼神包围，常年累月收到姐妹们赠送的巧克力糖果等各式各样的礼物。

　　可是不幸的是，有这么一个帅气的哥哥，你的眼光就会被喂得饱饱的，从此以后就再也看不上身边的毛头小子。跟哥哥比，怎么跟哥哥比？

　　不久以前，我完全没有这样的担心，因为还没有哥哥，可以和好朋友讨论潘帅是真帅还是假帅。班上那个潘帅超级粉丝，自从看过潘帅的高中五寸照后便一蹶不振，好些天都坐在角落里不敢站出来吼潘帅有多帅，惹得几个5566的粉丝狂笑。

"得意什么啊！"我的死党许小橙愤愤地捏起小拳头，"谁说5566帅，5566也配叫帅？玄彬才帅呢！"

"玄彬是韩国人！有什么帅的，都是整容整出来的！"5566粉之一不甘心地反唇相讥。

身为玄彬的超级粉丝，许小橙怎么可以让人这么看低自己的偶像？

她哇啦哇啦叫："你才整容呢！告诉你，我家小玄子从小到大就是这么帅，我有高中照片为证！再说，就算他整容，5566怎么不去整？"

"你……你！"5566粉显然不如许小橙巧言善辩，更重要的是，事实胜于雄辩啊！

不过，她们虽然口才不行，武力上倒是占有一定优势的。

二话没说，三个女生就冲了出来，把许小橙围在中间："你再说一遍看看！"

"你……你们吓唬谁啊？"许小橙明显胆气不足，

"祝如愿，你说5566帅还是玄彬帅？"

趴在课桌上的我怎么也没想到这个难题会抛到自己头上，于是叹了一口气，慢吞吞地说："我说……还……是……飞……轮……海……帅……"

许小橙和5566粉显然没料到是这么一个答案。

许小橙歪着脑袋，把一根手指顶在下巴上："飞轮海好像是挺帅的。我喜欢炎亚纶！"

"汪东城也不错，大东多可爱啊！"5566粉之一立马倒戈，双手握拳搁在下巴底下，两眼呈红心状。

"哎，你们快看！这不是吴尊吗？"5566粉之二突然指着窗户大叫。

"别搞笑啦，吴尊会来这？你大近视啊！"许小橙嘴里蔑视着，眼睛却移向了窗边，跟着发出一声尖叫，"额滴神啊！真的是他吗？"

我缓缓移动脖子。窗户外边，一张斗大的脸正往里瞧。看见我，还高兴地向我摆了摆手。

"不是吧？吉利哥哥！"我一下子跳了起来。

后来据许小橙回忆，我那时的动作简直快过闪电，是人类所能达到的极限。鉴于许小橙同学平日歇斯底里

夸张惯了，我们就把这个证词缩水十分之九再看吧。

"吉利哥哥，你怎么来了呀？"我好奇地问。

吉利哥哥今天套一件宽大的半旧汗衫，灰色的肥裤子松松贴在腿上，像足小老头打扮。可这一点无法掩盖哥哥的帅气。他那逼人的锋芒，就算套个麻袋也依然能把身边一干青春痘男生比下去哦。

"老头汗衫肥裤子的look，像极了《功夫》里的星爷噢！"

"皮肤真好，脸上一颗痘痘也没有！"

"身高大概一米七五吧，这种高度好有亲切感呢！"

我身后，登时聚集了一群目瞪口呆的初中女生。学校里好久没有出现过这么耀眼、这么有存在感的帅哥啦。

"吉利哥哥，你好！我是如愿的死党，叫许小橙，甜橙的橙！"许小橙把我往旁边一挤，立即打开一张灿烂无比的笑脸。

"吉利哥哥好！我们叫F4，就是Five 4的意思，就是4个5566粉，我们也是祝如愿的好……朋友！"5566

粉接着异口同声地说。

吉利哥哥显然已经经过多次这样的场面了，笑笑打声招呼："你们好！"然后就一把抓牢我的手，高高举起来摇晃，"我找祝如愿！大家下次聊。"

我在一个字都来不及吐露的情况下被哥哥拉走了。

远处传来一群人的呼喊："在哪在哪？他在哪……"

Yes！卫吉利已经成为这所中学最俗不可耐的校草了。打从他上星期转学过来，就有一大堆女生仰望他，一大堆男生嫉妒他。于是哥哥不得不严肃起来，把好看的笑容憋住。可他不知道，越不苟言笑女生越觉得他冷漠又酷炫，越是要追着他跑，说他像极了吴尊——飞轮海最帅的王子。

吉利哥哥笨笨的，把好看的T恤、俊朗的牛仔塞到衣柜最底下，以为穿件老头衫，穿个破球鞋，打扮再低调点就能挡住女孩们的眼神了，结果全然不管用。要知道，天生帅哥是不用发型服装加分的。吉利哥哥就像黑白照片，珍贵，天然。

常有女生在吉利哥哥经过的地方埋伏，把眼睛粘在

吉利哥哥的背上，要不就跟着他一起走，要不就故意跟他冲对面。许小橙说吉利哥哥是冷漠又英俊的帅哥，看起来就像冰雪王子。嘿嘿，他家玄彬就好像演过一部叫《冰雪王子》的影视剧吧。

我和吉利哥哥并排走着，听见女生们在背后热烈议论，想做他的妹妹。我就觉得背后灼热的视线比夏天中午的太阳还要毒辣。我于是低着头，平时叽里呱啦的嘴巴现在闭了起来，不知不觉就落在了哥哥的身后。我看着地上哥哥的影子，踏着他的影子走着，一步，两步……哎哟，不小心碰到哥哥的背啦！

吉利哥哥突然抓住我的手，举得高高的，好像示威一样摇了几摇，叫了一声："我的妹妹就在这里，别跟着我！"

女生们停住了，愣了一会，三三两两地掉头走了。

"我来这里，让你感到困扰了吗？"吉利哥哥问我。

"不，哥哥，我乐意，我得意！"我一仰脖子，绽开一个大大的笑容。

就这样，我成了吉利哥哥的挡箭牌，挡住那些有点小花痴有点小热情有点小好奇的小姑娘们。上学和放学我都被他紧紧抓着一起走。他快我也得快，他慢我也得慢。有一次，我差点一不小心就被憋急的他带进男厕所呢。

　　吉利哥哥有一些特别的习惯。上学时除了带着盒饭，还要带漱口水，是薄荷味道的。中饭时间，他会牵着我的手到一棵树冠最茂密的树下坐下。等我有一口没一口地吃完盒饭，再牵着我的手到公用水房，倒上一盖子的漱口水递给我。薄荷的凉爽清新霎时溢满我的口腔我的心扉。

　　我们一起去图书馆看书。哥哥借来的每本书，在看以前都会先仔仔细细把边边角角抹平了，才放心地开始阅读。

　　哥哥还皱着眉对我说："女孩还是少看点言情小说吧，可没什么好处，只会让你头脑发昏，想入非非。"

　　当然啦，他说他的，我看我的。言情小说可是女生们重要的精神食粮啊！不想入非非，又怎么做小女生呢？

见到了正牌偶像

　　周末，允典阿姨就和爸爸泡在"木头人"里一张接一张看片子。爸爸整理出一叠以前的儿童电影，什么《闪闪的红星》、《红孩子》、《小铃铛》、《宝葫芦的秘密》、《鸡毛信》……两个大人坐在沙发上一边热火朝天地看，一边兴致勃勃地回忆小时候。我和吉利哥哥兴趣缺缺，坐在旁边一个接一个打哈欠。

　　两代人，口味不一样，也是没办法的事啊！

　　"要不，你们出去玩吧。淮海路不远，去那逛逛吧？"爸爸和允典阿姨不忍心我们"陪绑"，赶我们出去。

　　我和哥哥坐上双层巴士，像积木。投好币以后，我直冲顶层车厢，吉利哥哥也跟上来了。原来他也和我一样，最喜欢坐顶层的最后一排位子。

　　我们两个人用一个MP3听歌，一人分享一个耳塞。耳朵里传来的声音有些单调，座垫下阵阵颠簸像在舞蹈，左耳和右耳充斥着截然不同的声音。但是，有一根线连着我和吉利哥哥，这样的气氛让我觉得很安心。

　　淮海路真热闹。吉利哥哥买不起哈根达斯，我们就吃麦当劳的冰淇淋，甜甜香香滑滑的。我被吉利哥哥拖着手，有点像大个子和小不点。

　　"我一定会长高的，我会长到一米七！"我打量着自己和哥哥间的差距，满怀信心！

　　"到那个时候，我肯定有一米八了……要知道我的遗传基因很好……我爸……"吉利哥哥高兴地说着，忽然声音变小了，跟着就不再做声，下半截被吃掉了。

　　我是第一次听吉利哥哥说起他的爸爸，但哥哥不想说下去，我就没有继续追问。单亲家庭出生的小孩，都要比别的小孩懂事。他们更敏感，更成熟，更知道在别人的隐私面前要隔开一尺远。

"你冰淇淋吃得好慢！"吉利哥哥指着我手上的大半个冰淇淋，"吃不完给我吃啊，不要浪费！"手伸过来就要抢。

"谁不要吃啊？不要抢我的！"我一把拍掉吉利哥哥的手，转向一边，保护心爱的冰淇淋。

"小气！"

"你不要吃着自己碗里的想着人家锅里的！"

"那叫觊觎啦，文盲！"

"你才是咧！"

两个半大小孩，在大马路上很没营养地斗嘴。好吧，我得承认，那也是我们沟通感情的一种方式。

正打打闹闹，突然前面就冲过来两个二十多岁的大女生。

"吴尊，你是吴尊吗？"

两个兴奋过度的女生冲过来就尖叫，高分贝地尖叫。

"你们认错人了！"自从那个出生在文莱叫吴尊的家伙在台湾出道后，吉利哥哥就几次三番被人认错。

"不会的不会的！你们不是在嘉乐迪签售吗，今天

是出来逛的吗？"

"真的认错啦！"吉利哥哥耐心地摇头。

另一个还不甘心，继续一厢情愿地幻想："我知道，你是故意不戴黑超。戴黑超出来，那才叫不打自招呢。"

"姐姐，我哥他不是吴尊啦！你看，有那么矮的吴尊吗？"我指指坐在台阶上的吉利哥哥，丢过去一个得意的眼神。

看吧，比起真正的飞轮海，你还是差了一截。

"我相信吴尊在我这个年纪也不会比我高到哪里去！"吉利哥哥不理我的挑衅，站起身来。

看清吉利哥哥身高的两个女生失望了，忙不迭地道歉。

第一个圆脸的女生还在说："天哪，乍一看真的很像呀！"

"对呀。你叫什么名字？你去参加'加油好男儿'吧，我们一定支持你……"另一个戴着水晶米奇发箍的女生很豪爽地拍了一下吉利哥哥的肩。

然后，她俩说了一声bye，施施然走了。

"哥哥，要不我们去签售会看看吧？"我拉着吉利哥哥的手拼命摇。

"不要，干吗去凑热闹！"

"去吧，我很喜欢飞轮海的。我看过他们演的《花样少年少女》。吴尊是最帅的一个啊！"

"有我帅吗？"吉利哥哥不满地嘀咕着。

"哥哥到二十岁肯定比吴尊帅五倍！"我摊开一只手，想想不够，又摊开一只手，"帅十倍，好不好？"

"马屁大王啊你！好吧，就陪你看一眼，不准呆太久。"

嘿嘿，到了那里，待多久还不是我说了算？本姑娘心里自然有把小算盘。

到了嘉乐迪，真是人山人海，一大群一大群人将个场地围得里三层外三层，简直水泄不通。

吉利哥哥看到这么多人，马上想撤："太挤了，咱们不凑这热闹吧。"

"不要啦！好不容易来了，不能说走就走。让我看看，有什么办法。"我拉起他的手往边上走。

　　还没走几步，我们就被凶巴巴的保安拦住了："不要再往里面走了，按秩序来！"

　　我躲到吉利哥哥身后，把他往前面一推："叔叔，我们不是粉丝呀。你看，他是吴尊的弟弟。"

　　保安见识过很多大场面，有哭着说自己从国外千里万里赶来的，有耍赖说自己错过偶像会伤心致死的，就没见过有说自己是明星亲戚的。

　　他迟疑了一下："你们有什么证据？我们没听说过吴尊有弟弟。"

　　"真的呀！叔叔你看，他跟吴尊长得是不是很像？除了比吴尊矮点，就没什么差别了。"我心里怕得慌，谎说到这个份上，只有硬着头皮上了，"他在上海读书，这次来是给他哥哥一个惊喜。你就让我们进去吧。"

　　保安狐疑地上下打量吉利哥哥。哥哥脸红啦，浑身不自在的样子。

　　"喔，"我有点心虚了，"其实……其实是表兄弟啦。"

　　不知道是不是因为我的这一个理由显得诚恳一点，

保安一眼一眼看看巨型海报，再看看吉利哥哥，说：
"我去问下。"

等保安走远，吉利哥哥拧住我的耳朵："好啊，你个小坏蛋！我是吴尊的弟弟，怎么我从来不知道？"

我嘻嘻笑着："哥哥，我也不知道呀。一会他如果不让我们进，我们闪人就是啦。"

吉利哥哥想想也对，反正自己没什么损失。

我们等了一会，保安走了过来："吴尊没弟弟，不过他听说你长得和他很像，很好奇。进去吧！"

"后来怎么了？"许小橙好奇地问个不停。

"嘿嘿……"我一脸神秘加得意。

反正，通过了好几道关，那些保镖高大威猛，站在那里，真是铜墙铁壁喔。最后我真的近距离看到了吴尊，有点眼袋的大眼睛，皮肤真的超好超好。

正好有记者在采访，我和吉利哥哥亲眼看到了吴尊右脚踝上的那个著名的篮球火刺青，在飞人的图案上有一只围绕着火焰的篮球。吉利哥哥都被震呆啦，我就更不用说啦。

　　吴尊正好在说出道前的事情："我记得拍照片摆pose很痛苦，我们都在镜头前面僵得要命。摄影师要求十秒做十个表情。"

　　"一秒一个表情呀，怎么做呀？"许小橙满脸不可思议的样子。

　　"你以为偶像那么好做呀！"我白她一眼，"而且，他们还要根据摄影师的'命题'做动作。全体做二十六个字母十个数字还有很多奇奇怪怪的命题……那些训练非常魔鬼哦！"

　　许小橙听了，直吐舌头。

　　"那么，吴尊见了你家吉利哥哥，怎么说？"这是她最感兴趣的。

　　记者一拨接一拨呀，同样的问题吴尊他们回答了一遍又一遍，还要保持很专业的微笑。

　　吉利哥哥悄悄对我说："听听就累得慌，更不要说老是要在那说呀说呀……"

　　采访一直没有停下来，其间吴尊对着吉利哥哥笑着点头，然后竖起了大拇指，好像在说："果然很像！"

　　"再后来呢，再后来呢？"许小橙又着急了。

　　嗯，再后来有个经纪人来和我们谈了，问吉利哥哥有没有兴趣先做替身，以后再有机会推到前台做偶像。原来，就是她点头同意后我们才被领进来的。

　　"我不想做偶像，我想做个木头人。"吉利哥哥拒绝了她。

　　"木头人？"那个经纪人一脸迷惑。

　　"噢，就是伟大的木偶剧演员，像我爸爸祝福先生那样，对不对？"我替吉利哥哥解释。

　　我们相视一笑，像真正有了默契的哥哥和妹妹。

　　"把线掌握在自己手里，而不是掌握在别人手里。"吉利哥哥补充道。

　　许小橙说："吉利哥哥的回答真是酷呆啦！"

　　我自豪地说："Of course！"

　　最后，飞轮海的帅哥们准备赶往下一场签售会。吉利哥哥还是友情出演了一把，当替身引走了不少围观的歌迷，让吴尊、亚纶他们顺利地从另一个通道上了车。

　　我拿到了主办方送的几张签名CD《双面飞轮海》还有吴尊的签名照片。我在碟片行留了两张，还有两张准备留着在网上卖。要知道过两年，这些东东肯定会升值

的。

　　许小橙掐着我的胳膊大叫："嫉妒死祝如愿啦！凭着正牌的帅哥哥见到了正牌的偶像，你怎么这么好运呀！"死党就是死党，心里怎么想，嘴里就怎么说。

　　我任她掐，心里美滋滋的。反正有了吉利哥哥，以后的生活肯定会很有意思的。

小馋猫加大胃王

我听见允典阿姨悄悄和爸爸说话，声音里带着笑："他们俩真是天生有缘呢，完全不用我们操心。嗯，如愿好像很愿意听吉利的话。"

"嘿嘿，"爸爸傻傻笑着，"我也很愿意听允典的话。"

其实，以我酷爱自由的射手座性格，是不太适应吉利哥哥那样太过完美的要求和有轻微洁癖的处女座的。可也不知怎么啦，我就这么听他的话，心甘情愿当他的挡箭牌，每天乖乖漱口，又戒了言情小说去啃侦探小说。连做作业我都会想象自己是福尔摩斯，仔细看着四

周的情况，对着最靠近下巴的第一粒扣子（秘密对讲机，酷呀）不露声色地说，没有异常情况。一会又说，左手边那个家伙很可疑……

时光荏苒……对，就是这样写的，没错。就这么一转眼，也就是写十几个字的时间，就到了秋天。天气凉了，一片片黄叶从树上落下来。 一群大雁往南飞，一会儿排成个人字，一会儿排成个一字。啊，秋天来了！

我摇头晃脑背诵着这篇小学经典课文，趴在阳台上晒着秋日暖阳。

夏天的酷暑终于和我们说再见了，现在连风都带着轻爽啊！秋天真好，秋天柿子要丰收了，秋天甜橙也要丰收了。呵呵，都是我爱吃的。

"喂，傻笑什么呢？"吉利哥哥坐到了我旁边。

他不知道我在傻笑些什么，嘴巴旁边还有串亮晶晶的东西。他拿手一抹，湿漉漉的，口水呀。

"你干吗？"我跳起来。

吉利哥哥苦着脸把口水抹到我脸上，故意说："还你东西啊，口水！"

"阿姨，吉利哥哥欺负我！"晚饭的时候，我向允典阿姨告状。

　　"吉利，你干吗欺负如愿啊？"允典阿姨当然不会对这些小打小闹上心，"不可以欺负妹妹的，要爱护她，知道吗？"

　　"叔叔你不知道，如愿她竟然在流口水，呆死了！"吉利转头找爸爸做他的同盟军。

　　"你才呆呢！"我跑到吉利哥哥身边，抡起拳头敲了他一下，又迅速躲到允典阿姨背后。

　　"哇，痛死了。祝如愿你是女金刚啊？"吉利哥哥捂着肩膀喊。

　　我探出头，见他揉肩膀，一脸痛楚，忍不住跑过去小小声问："真的很痛吗？"

　　"当然啦。让我敲你一下看看！"

　　"那那，我给你揉揉。我技术很好的，保你不痛。"我一边用小小的力轻轻抚摸，一边问，"这样痛吗，会不会好一点？"

　　"你轻一点啦……"吉利哥哥咧开嘴，露出胜利的微笑。

　　爸爸和阿姨相视一笑。这个场景，温馨又生动。

刚进入金秋没多少天，就迎来了国庆长假。国庆之前，允典阿姨就说，这个国庆，要带我们去浙江玩玩。那里是允典阿姨的老家，有山有水还有大海。

长这么大，我只看过黄浦江呢，所以分外期待这次旅行，天天缠着吉利哥哥问："浙江好玩吗？海好看吗？海水蓝不蓝？"

吉利哥哥说："耳听为虚，眼见为实。你自己去看吧！"

就在行前的那天晚上，允典阿姨突然接到了单位电话，说国庆有个演出，不能少长笛手，非让阿姨去不可。

"那我们不是去不了啦……"我失望极了，好像一脚踩空那种感觉。

"如愿……不好意思啊……"阿姨满脸歉意。

"这样吧，爸爸带你去朱家角玩玩怎么样？我们买几斤鱼放放生。"爸爸也说。

"不要，朱家角我都去几万次了。"我撅起嘴巴，越撅越高。

有时委屈哄不得，越哄越发作得变本加厉。

"妈，要不我带如愿回外婆家吧。反正我认路。"一边不吭声的吉利哥哥开口了。

我一听有戏，脸上立刻放晴放晴，笑着说："吉利哥哥，真的吗？"

"两个孩子出门，让我怎么放心啊？"爸爸马上表示反对。

我跑到他身边："我很机灵的，吉利哥哥也很聪明，我们保证没事。你们让我们去吧。我都几百年没出门啦，不是上学，就是看店，人都要发霉啦。"

"你这个小鬼……"爸爸想想有道理，有点动摇了。

允典阿姨点点头说："要不，让他们去吧。吉利要保护好如愿和照顾好如愿哦！"

吉利哥哥认认真真地说："你们放心好了。"

我们如愿坐上了去往浙江的大巴。一上车，几百年没出过远门的我就兴奋得不行，缠着吉利哥哥问东问西。问题之多，冒出之快，让吉利哥哥应接不暇。

"我讲个故事给你听。"吉利哥哥拉拉我的头发。

我靠着哥哥，聚精会神地听。

"故事是这样的。"吉利哥哥缓缓开讲，"有一次，就是我们要去的那个地方，有个老爷爷去看他的女儿。他女儿就做年糕给他吃。年糕的料头很丰富，有肉、带鱼干、虾米、青菜。香气四溢，吊人胃口。女儿先给她公公盛了一碗，满满的一碗年糕，上面堆了很多料头。女儿又给他爸爸盛了一碗。他爸爸一看，全是年糕，一点料头也没有。老爷爷就生气了，把碗一推，说：'我怎么生了你这么一个女儿！'碗倒在桌上，老爷爷才发现，原来他这碗只有几根年糕在上面打掩护，下面满满的全是料头呢。"

"然后呢？"

"结束了呀。"

"没听出来有什么含义呀。"

"你听故事就行了，何必非要弄明白有什么含义？听故事又不是上语文课，听过就算啦！"

"这个故事一点也不好听，为什么挑这个给我听？"

　　"好不好听，有没有意思，你一会就明白啦。就怕你没听清楚，到时会犯傻噢。"

　　"啊，为什么呀为什么呀？"我又开始"重操旧业"。

　　吉利哥哥干脆把耳塞塞进我耳朵，一把捂住我嘴，才止住了我的十万个为什么。

　　车到了一个小镇，又转车。这时已经是下午三点多了。我跳上了一辆面包车，直接走到最后一排，拍拍身边的座："哥，你快来坐。"

　　转大路拐小路，我眼里看什么都新鲜，矮矮的房子，还有高高的山。七转八拐，开了约摸半小时，终于到地方了。

　　果然是小小的村庄，四周被群山包围，视线范围内坐落着几十间屋子，有石砌的老屋，更多的则是三层楼高的小洋房。

　　吉利哥哥在前面开路，我在后面跟着，走过溪水流淌的小桥，走进一间三层高的小洋房。

　　"外婆！外婆！"吉利哥哥一路喊着。

　　不一会，二楼就探出两颗花白的脑袋。

　　"哎呀哎呀！"外公外婆从楼上走下来。外公一把搂住吉利哥哥脑袋，揉啊揉啊。外婆拉住吉利哥哥的胳膊，捏啊捏啊。

　　三个人亲热成一团。我被晾在一旁，绞着手指，咬着嘴唇。

　　"如愿，快点叫外婆。"吉利哥哥奋力从两个老人家怀抱里突围出来，一把把我拉到他们面前。

　　"喔喔，知道知道，允典说过，小姑娘长得真好看呀！"外公眉开眼笑。

　　"如愿，吉利，听起来就是一家人嘛。"外婆丢开吉利哥哥的胳膊，一把把我搂在怀里。

　　"外婆！外公！"我扑在外婆的怀里，心甘情愿也心花怒放地叫了两声。

　　晚上，外公外婆给我们烧了一大锅年糕。

　　给吉利哥哥端上来的这碗，大虾、墨鱼、蛤蜊堆得高高的。等我这碗端上来，我心里一凉，全是年糕，什么也看不见！

　　我慢吞吞地拿起筷子，举在半空，发愣。

"祝如愿，说你笨吧还不承认。"吉利哥哥嘴巴里塞满好料，愣挤出空档来嘲笑我。

"啊？"我连忙往年糕下一挖，"不会吧？"原来只是上面铺了薄薄一层年糕，下面整整藏着大半只肥美的青蟹呀。

青蟹煮得红红的，味道特别鲜。我把上面吸足了蟹膏香的年糕吃掉，把青蟹留到最后吃。年糕的汤汁和蟹的汁水汇在一起，我一一呕干。青蟹的肉又香又嫩，人间美味啊！

最后留下个大蟹脚，怎么咬都咬不动。吉利哥哥筷子伸过来，一把把蟹脚抢过去。

"不会吧，这都要抢？虎口夺食呀！"我连忙拦截。

可是吉利哥哥手脚麻利，拿起老虎钳轻轻一夹，坚硬的蟹脚就有了裂痕。

他板着脸把蟹脚递给我："我会抢你的东西吃啊？"

这顿晚饭，吃得我酣畅淋漓，这辈子从没吃过的美味呀！我拍拍鼓鼓的肚子要吉利哥哥带我出去转转。满

满一大碗呢，我可是吃得连一滴汤都不剩。外公外婆眉开眼笑，特别有成就感。

吉利哥哥轻车熟路，带着我走到村口。那里搭了一个戏台，正好晚上村里要演大戏。

"不会吧？"我惊呼。

好多的人，好多的小吃。小吃从路口延伸到路尾，烤炸煎煮无所不有。煮玉米飘着清香，羊肉串爆出一阵阵孜然香，还有一种像极了萝卜糕的，吉利哥哥说那叫油鼓。

油鼓扁扁的，圆圆的，像人挺了个大肚子。做这个看上去挺简单的，一个大勺，先是浇一层面糊，再把菜啊肉啊鸡蛋啊虾啊统统填进去，再浇上一层面糊，往油锅里一放，一会就炸得两面金黄，香气扑鼻。

做油鼓的阿婆抬起头对我笑，说了一大串听不懂的方言。

"她问你要不要吃。加肉一块五，加虾两块。你要不？"翻译官吉利哥哥非常称职，还准备好了买单。

我使劲点头，这么有味道的小吃，不吃才怪。

"刚刚不知道谁狠狠吃了一大海碗年糕，我说你的

肚子是异次元袋吗？"吉利哥哥乘机嘲笑我。

　　嘴里嚼着脆脆的饼，咬着热热的菜，嘿嘿，小馋猫

加大胃王祝如愿没空和他一般见识啦。

No.22

我的城堡我的家

　　第二天一早我就醒了。不是认床，是这地方的太阳没被高楼阻隔，通透地洒进来，才七点多就已经满室阳光了。

　　梳洗好走下去，吉利哥哥已经坐在餐桌边，对我露出一个和清晨阳光一样的笑容："我有没有机会约可爱的如愿小姐去海边玩呢？"

　　一听去海边，我马上三口两口扒完一碗泡饭，一抹嘴巴，说："好啊好啊，马上出发！"

　　坐在车后座，抱着吉利哥哥的腰，我忍不住想，为什么哥哥开的是电瓶车啊？要是在偶像剧里，吉利哥哥这样的帅男生，骑着的不是可以飙车的摩托，就是可以浪漫地滚着圈圈的自行车。正这么想着，吉利哥哥突然加速，电瓶车就像箭一样向前窜，顿时逆风打在脸上，卷着沙尘，生疼生疼。

我搂着吉利哥哥的腰，大吼："慢点慢点，我怕我怕！"

一路上的车况并不是很好，沙石颠得我屁屁有点痛。那稀奇古怪宽宽窄窄的路，让我惊叫连连，拼命把脑袋靠在哥哥的背上。这样的感觉与其说是安心，不如说是甜蜜。

过了十几分钟，鼻子里嗅到了一股海腥味，吉利哥哥的电瓶车也停了下来。我睁大眼睛，看着前方，突然有点小失望。跟自己想象中的碧海银沙差太远了，四周散落的岩石还有远方泛着白沫的黄色的海，一点都不像电视上那蓝色的大海。海浪尽管拍着沙滩，也不是细细的白沙，而是那种黑色的滩涂。

"海不应该是蓝色的吗？这也太黄了吧！"我失望了。

"这里的海水没那么清澈，但海还是海啊，难道变

了颜色就不是了？"吉利哥哥拉着我到海边的大坝上坐下，"这里的海也很广阔，是你怎么望也望不到边的。"

我点点头，学吉利哥哥的样，抱着膝盖望着海。

哥哥在发呆，好像在想着什么。是在想小时候的事情吗？吉利哥哥说他小时候经常来这里追着海浪玩，在沙滩上捉小沙蟹，在礁石间找小圆螺。

"你亲生妈妈呢？"啊，哥哥脑子里转的是这件事！

"走了，去世了。"十三岁的我已经能够用比较不童话的真实态度来讲述我的事情，"妈妈是用她的命换来了我的命。"

"小时候，爸爸老说，我睡着的时候，妈妈曾经来看过我。不过，我真的一次也没见过她。不过，我妈妈给我留下了神奇的名字，还有那双红木头鞋，帮我实现了很多心愿！所以，"我笑呵呵地说，"就算没见到过我也永远爱她！"

"真好！"吉利哥哥也由衷地笑了。

我像小猫一样悄悄移到他身边，把头靠到他微宽的

肩膀上，心里没有悲伤，只有宁静，近乎透明的宁静。

"哥哥，我能问你一个问题吗？"

"问吧。"

"你亲生爸爸呢？"我终于有勇气开口了。

"走了。"吉利哥哥淡淡地说。

"走了，也是去世了吗？"

吉利哥哥叫起来："不是！"想了想，又黯然承认，"和你说得也差不多！那个人是一点一点走的。"

"那个人，一点一点走？"

"一开始他总说工作忙，一天两天不回来。等我和妈妈习惯了他一天两天不回家，他说更忙啦要一周两周不回来。等我们终于习惯了他一周两周不回家，有一天，他突然再也不回来啦！这回是好几年，我和妈妈已经习惯了没有他的生活。可是，就在不久前……"吉利哥哥的呼吸声变得沉重起来。

"你爸爸他回来了？"

吉利哥哥摇头："他派了一个律师来，拿着有他名字的房产证，要把我们赶走。我们住的是爷爷奶奶留下的房子。律师说，爸爸急需要钱，得把房子卖掉。没办法，很抱歉。妈妈和我离开了香花桥的房子，'爸爸'这两个字，也连根从我心里拔掉啦！"

"那个人已经走得无影无踪，一点也不可惜，就让他走好啦。"吉利哥哥的笑容冰冷冰冷的，眼睛里却有泪珠在打转。

"哥哥……"我没见过哥哥这副样子，感觉好像马上要哭出来，但又坚决忍着，整个人憋得像块石头一样硬啦。

我眼泪哗啦哗啦就流下来啦。我不知道为什么哭，可看到哥哥憋着忍着那么难受的样子，就让我替他哭出来好啦。

"不哭了，我们去踩海浪吧！"吉利哥哥站起来，顺便把我也拉下去。

跑到海边，脱了鞋子，脱了袜子，挽着裤管，踢着海浪。海浪一个个打过来，打在腿上，暖暖的，一点也不觉得冷。

沙滩上的沙湿湿的，踩在脚下软软的。我挽起裤管，卷了三卷，蹲在地上玩泥沙。

　　手指在细软的沙滩里划出一大片空地，湿润的泥沙很快让界限消失不见，我脸上的泪痕很快被开心的笑容代替了。

　　"这一块做花园，这一块是城堡。"我的手努力往下挖，平坦的沙滩很快被我挖出了一个大坑，可惜海水悄然涌进，把大坑填得满满的，变成了水洼。

　　"哥……你快来呀。"我朝远处的吉利哥哥大喊，拼命挥着手。

　　他跑了过来，蹲在我面前。

　　"我要堆城堡。哥，你快来帮我。"

　　两个人一起做速度比较快。我挖沙，哥哥造城堡。他的动作迅速，心思又细腻，很快就在高处建起了一个高高的沙堡。湿漉漉的泥沙建起来的城堡挺坚固的，可是不够漂亮，颜色不是灿烂的金黄，而是一团黄黑。尽管这样，我们还是玩得很高兴。

　　"这个房间给你，这个房间给我，这个房间给爸妈，好不好？"我指着城堡里的三个房间说，没想到自己那么顺利地将"爸妈"这个词说了出来。

　　一个海浪打过来，城堡塌了。再一个更大的浪头打

来，哥哥拉着我连连向后退。

浪头退去，我睁大眼睛，伤心地叫："我的城堡，我的家，没了！"

哥哥拍拍我的背："在香花桥的最后一个晚上，妈妈和我一起看了从'木头人'借来的一张片子。里面有句话我记得特别清楚：上帝把我们身边最好的东西拿走，其实它是想给我们件更好的！"

"嗯，是《星空奇遇》！"我使劲点头。

吉利哥哥和我真是心有灵犀。我对这句话也是记忆深刻，而且当初它还起过神奇的作用，让允典阿姨摇晃的心一下向我和爸爸靠拢了。

"明天我们再来建一座更大更好的城堡，离海浪远一些。"吉利哥哥捏捏我的脸，趁机把手上的泥蹭到脸上。

我赶紧把哥哥往外推。两个人你追我打，笑声和脚印，一串串留在了沙滩上。

回到家已经是中午了。外公外婆看见我们一身湿漉漉的，赶紧打发我们去换衣服。

我们还拎回一小袋圆螺，那是哥哥带着我爬到一边的礁石上找到的。圆螺就住在礁石的缝隙里，黑色圆润的壳，特别可爱。

中午外婆白灼圆螺。我只要动动嘴巴就可以了，因为吉利哥哥替我把螺肉一个个挑了出来。圆螺壳却被他一个个收起来，说是有用。他弄得神秘兮兮的，把我弄得越来越好奇。

下午，吉利哥哥一个人在院子里忙忙碌碌。我看了会电视，下楼喝水时，发现哥哥正用工具在圆螺上凿孔。

"哥哥你干什么呀？"

"一会你就知道了，先看电视去。"吉利哥哥赶紧轰我上楼。

不看就不看，我撇撇嘴，走开了。不一会，哥哥噔噔噔上楼来找我，要我把眼睛闭上。我乖乖地闭上了眼睛。电视里常演这样的戏，闭上眼睛才有好东西。

一串凉凉的东西放进了我手心。我睁开眼，看见一串圆螺壳做的手链，黝黑的圆螺上有着奇妙的花纹，尾部穿了个孔，用红丝线串到一块。

我哇哇叫起来。好特别的手链！圆螺是自己亲手抓

的，手链是哥哥亲手做的。

　　快乐的时光总是走得飞快飞快，国庆的第五天，我们准备回去了。离开的前一天，两个人又跑到海边，踩海浪，打水漂。

　　"听啊，大海的声音！"我嘴里哇哇叫着，向浪花扑去。

　　吉利哥哥爬到一块礁石上，张开双手。海风吹得他的衬衫像帆那样鼓起，又像羽翼一样准备飞向远方。我看着都要羡慕死了，也手脚并用爬上去。吉利哥哥拉了一把，我终于站到了他身边。

　　吉利哥哥举高手，我也举高手，两人一起大喊："我们永远在一起！我们永远开心……"

　　快活响亮的声音传遍四面八方，最后消逝在海风里。

　　这会成为我生命里最美丽最快乐最生动的记忆。那片海，那座城堡，那哭过也笑过的瞬间，还有……

　　"哥哥，我一辈子也不摘下来！"我高高举起了他为我做的圆螺手链。

　　"可是，"我马上又担心了，"要是浸水了，要是时间特别长了，它会不会断掉啊？"

　　"你知道为什么海水不会腐烂么？"哥哥反过来问我。

　　"不知道。"

　　"那是因为它里面含有3％的盐！"

　　"嗯？"

　　"放心吧！"吉利哥哥信心十足，"我已经把那3％的盐分加进去了！"

这世界有点疯了

　　知道校庆是什么概念吗？不要说是什么游园会啦、主题扮演啦、舞台剧啦，难道你是日剧、台剧看多了？谁也没有这么多精力体力搞大，就算想搞大，也是有心无力啊！校庆这种活动，还是老师策划学生来办，就像个木偶人牵着线，拼命团团转。

　　我参加过六次校庆。小学那年脸涂得像个红鸡蛋，左一团，右一团，大秋天的穿着薄薄的纱裙，拿着塑料花在校门口站了一上午，迎接那些坐着轿车的大叔大爷们。观光客到来以前我们都很忙，要把准备上的课排演一遍又一遍。老师把问题的答案给了几个好学生，让他

们背。等观光客来了，所有学生都遵照师嘱争先恐后举手回答问题。当然，老师只会叫背过答案的学生，大量举手的同学不过是群众演员。小孩子不懂事，根本不明白来参观学习的人都学到了什么。老师说，这一切都是为了学校的荣誉。

到了四年级，我不乐意了，凭什么要拿着塑料鲜花挨凉受冻等领导啊？于是我学会了say no。

上了初中，我第一次迎来中学校庆。国庆结束后的第一天，我手里多了一张"二十五周年校庆节目问卷调查表"。上面有若干个题目，竟然还是匿名调查。我比较有兴趣的是下面几个问题：

"你最希望在二十五周年校庆中看到哪些节目？"

"你愿意在二十五周年校庆中发挥你的所长吗？"

许小橙在旁边一字一句地念，然后想了想："所长啊……这种东西我有吗？"

5566粉，也就是Five 4在旁边喊："请5566来表演，请5566来表演！"

"根本不可能！"我泼她们冷水，"学校请得起吗？"

5566粉不服气，四个人噼里啪啦就是一堆话："怎么不可能啊？上次房祖名还在北大附中开演唱会呢！5566怎么请不来啦？试都没试你就说请不来。试了可能没机会，可是不试永远没机会你懂吗你懂吗？"

我被她炮轰到捂住了耳朵。许小橙用手碰碰我。我转过去一看，许小橙也把耳朵捂住了。两个人面对面嘴巴和眼睛一个弧度，统统往下垂。

四位5566粉吼累了，坐下来咕噜咕噜喝水。我和许小橙趁这机会手拉着手溜了，背后竟然还传来她们不屈的吼叫。

走到操场，跑道像一圈又一圈的棒棒糖。

"校庆演什么节目好呢？"许小橙故意学机器人走路。

"不知道。我才不操心这个呢！"我倒退着走，"你以为真这么民主呀？还不是老师想让咱们干什么就干什么。反正今年，我不要做被老师摆布的木头人了。要想让我在冷风冷雨里站一早上迎接什么屁屁领导，别想！"

"算你狠。"许小橙竖起大拇指，"我真羡慕人家

大学生。上次我姐姐他们学校就请张韶涵和潘帅去开演唱会。还有上海师大，王心凌也跑过去了呢！"

"那等上了大学不就有机会啦？"

"根本不是这个问题好不好？唉，我是怕我们的校庆会很无聊。听初二的同学说，去年是老掉牙的文艺表演，刚开场十分钟就有一小半人跑了。"

"不过表演年年都这样，你急什么？老师一会就要给我们安排任务了。"上课铃叮叮咚咚响起，我拉着许小橙的手飞奔而去。

气喘吁吁跑到教室，已经上课了。老班丢过一串责备的眼神，吓得我俩找到自己的位子就趴在课桌上，不敢看老班的眼睛。

"调查问卷都做好了吗？这堂课结束后请各组最前排的同学交到讲台上。"老班背着手在讲台上走来走去，"这次校庆，学校想听取同学们的意见。我会把我们班的意见汇总上去供校领导挑选。大家一定要集思广益，踊跃发表意见。"

老班踱回讲台边，把课本打开："下面请翻开书本第三十六页……"

　　离下课只差五分钟的时候，老班看看表："下面大家填调查问卷吧。填好后由后往前传。"

　　我咬着水笔头，填什么好呢？演唱会还是联欢会？很多同学肯定填过了，年年都在办，办出新意有点难。

　　许小橙戳戳我，把问卷举起来晃晃。我也晃晃，不过晃的是自己的脑袋。我也不知道填什么啊！五分钟滴滴答答过得好快呀！我觉得自己的脑子才转了几个弯，就像过山车直接到了尽头，问卷上还空空荡荡的。

　　老班拍拍手，示意最后排的同学把问卷交上来。我急中生智，在问卷上写下了几个字。哈哈，反正同学们都想过了，这种烂想法肯定能过关。

　　下了课，许小橙神神秘秘地凑过来，趴在我耳边问："你填了啥？"

　　我也趴在她耳边告诉她答案，没想到许小橙竟瞪圆了眼睛不敢相信："不会吧？这么烂的想法……祝如愿你真是老套呀！"

　　"那你填的啥？"我的想法是有点烂，不过被许小橙这么一说，还是很伤自尊的。

"网球王子舞台剧……"许小橙兴奋地说，"我要演朋香，让你家吉利哥哥来演部长好了，肯定很帅……吉利部长。"

我一拳捅过去。哼哼，居然把主意打到我家地盘上来啦！

回家路上，我兴奋地把这些事情讲给吉利哥哥听。

他在我额头弹了两下："笨蛋！果然是榆木脑袋烂想法。"

揉着自己的额头，我忍不住嘀咕：我的想法真有那么烂吗？

第二天下午，老班走进来。一班同学都变成了长颈鹿，急巴巴地等她把结果报出来。老班清清嗓子，底下寂静一片。她满意地看到底下一片期待的目光。

"经过讨论，我班有一位同学的设想被学校采纳了。"老班有些得意，"我们班祝如愿同学的设想，文艺演出，括号，模仿秀。"

"切……"全班嘘声大起，几十道目光齐刷刷地向我射来，附带一个"BS（鄙视）"的手势。

"这也太俗了吧？既然那么俗，干吗要填问卷调查

表，难道这是为了敷衍我们啊？"5566粉跳起来喊。

"对啊对啊对啊！"最起码有十几个声音在一起附和，显然对学校这个安排非常不满意。

老班从容不迫，一一批驳："你看看你们想的那些东西，一个个说开演唱会，把什么周杰伦、潘炜柏、林俊杰都请来，一点也不切实际！还有，要演什么网球王子舞台剧，纯粹小众游戏。虽然祝如愿同学这个主意不是最新的，但好在旧壶装新酒，有点新意，每个班参与也容易，这也符合学校实际。"

老班分析得有理有据，我的同学们也就齐齐收起鄙视我的眼光，转而热烈讨论起模仿谁模仿什么曲目。每班都要拿出一个模仿节目到校庆晚会上表演，想模仿哪个明星，哪个组合，比一比就知道了。

一下课，我在外面晃了一圈，再晃一圈，发现这个世界已经疯了，因为我随手填上去的几个字：模仿秀。

吉利哥哥为我鼓掌

厕所外，本班体育委员刘天一把个水龙头拨来转去。水花四溅中，他摇头晃脑抖肩膀："wow wow wow，让我看到你双手，推开地心引力一起反转地球……"

昨天批评我想法很烂的许小橙，一路抱着王心凌的歌在我耳边唱个不停："睫毛弯弯眼睛眨啊眨，心动的世界变得好好玩。来玩大风吹吹什么，吹一见钟情的人。"

"嗯，不行不行，"她不满地眨巴着单眼皮小眼睛，"这样唱没感觉。等我向表姐要一副超长睫毛去，卷得翘翘的，这么一粘，前奏一响，我就眨眼眨眼，放电放电！"

我顿作酥麻状。一抬头，5566粉并排迎面走来。

"祝如愿！"我刚想侧身避过，就被其中一个揪住，"你来得正好！"

"我们正好少一个！"

5566演唱组合有5个人，她们Five 4只有四个人，分别领了小刀、鞋子、FF还有王绍伟四个角色，还缺一个唱许孟哲的。

"我们家孟哲可是迷倒一大批女生的新生代小帅哥啊！我们为了争他快打破头了，没办法，只好让给你啦。祝如愿怎么这么幸运啊！"

四个小女魔头一拥而上，抓着我又摇又叫。明明是抽壮丁，偏要说成是我的幸运。

"谢谢！"虽然被摇得头昏脑涨，我还是保持了清醒，马上声明，"我跑调特厉害。"

"怕什么，我们四个带你！"5566粉揪住我不肯撒手。

"到时候，还不知道谁带谁呢！"我警告她们。

"祝如愿最擅长带别人一起跑调。本来我、巫娜还想拉她一起唱S.H.E，她一开口，我们立刻放弃啦。你们可以和她组5566，到时后果自负。"许小橙撂下这几句话，头一扬，扬长而去。

5566粉你看我，我看你，魔爪纷纷松开。我一溜烟跑着去追许小橙了。

放学时，吉利哥哥来找我，看到我就怪笑："没想到这样的烂想法都会被选上。"

我苦着脸："我都快烦死了，整天都是魔音穿耳。"

"大家彼此彼此啦，我们班也差不多。"吉利哥哥表示同感。

"哥，到时候你会演什么节目吗？"

"我才不演呢。"

"可是哥哥你真的很偶像派呢。你真的不去吗？"我听过吉利哥哥哼歌，声音特别好听，如果在MP3和哥哥的歌声中选一个，我会毫不犹豫地选后者。

肯定是允典阿姨给了他多多的音乐细胞。而我家爸爸，给我更多的是手舞足蹈的细胞吧。

"什么偶像派，我是实力派。"吉利哥哥不满地纠正。

一星期后，一场场紧张的PK大赛拉开了序幕。初一（二）班教室里，桌椅被清空到两侧，中间是用来比赛的场地。这个比赛拥有三名裁判还有二十多名没有参赛节目的大众评委。

我班大众评委的倾向性很严重。比如5566粉的《神话》，说真的她们刻苦排练最后也算唱得不错，但大众评委的投票没几票。看来5566粉的人缘在二班只能用"怨声载道"这四个字来形容了。

5566粉黯然神伤："老师，同学们，你们再给我们一次机会吧！你们不知道这对我们来说，意义有多么重大……"

我突然想起中午她们说的话："我们的目标就是在校庆晚会上宣传5566，发展更多的5566粉丝。我们要让5566在校园发扬光大！"多好的歌迷啊！可惜同情归同情，我还是没有把我的一票给她们。

经过数轮PK，眼泪与笑容齐飞，初一（二）班终于选出了一名前途远大的选手。她志满意得地站在讲台后

接受未来粉丝们的掌声。这位幸运儿就是PK新人王许小橙同学。

许小橙拿着十块钱三个的陶瓷茶杯，泪光闪闪，心情激动："感谢老师，感谢同学们，感谢我的爸爸妈妈！我会努力的，不会让你们失望的。"说完，狠狠亲了一口杯子。

天哪，她以为自己拿着的是奥斯卡小金人，或者得了金唱片奖？

和吉利哥哥一起放学回家的时候，我把今天发生的事说了。没想到他皱着眉说，他们也一样。原来吉利哥哥班上也搞了什么评选，不同的是，他们班最后的结果是老师说了算。

家里，允典阿姨已经把晚饭煮好了。鲜美又有营养的菌汤，金针菇、鸡腿菇还有高山娃娃菜，毫无油腥味，我每次都能喝一大碗。老爸最爱吃的梅干菜扣肉，梅干菜香而有嚼劲，扣肉油香扑鼻酥烂入味，下饭最好。绿油油的空心菜、金黄嫩绿的黄瓜炒蛋再加一盘白灼虾，餐桌上赏心悦目，菜香四溢。还没正式开饭呢，我已经吞了好几口口水。

吃完饭，满嘴余香的我想帮着允典阿姨洗碗，可是阿姨把我从厨房里赶了出来。我走到阳台上，吉利哥哥正倚着栏杆听歌。远方是渐渐下沉的太阳，天空像着了火，一片火红。

我拍拍哥哥的肩，在他转过来之前飞速蹲下身子。吉利哥哥能看到的只有空无一人的背后。他左右望望，然后无奈地说："出来吧，装什么装！"

我吐吐舌头，腾一下跳到他身边，仰着头问："哥，听什么歌呢？"

吉利哥哥摘下一个耳塞，塞到我耳朵里。

拥抱的温度
只有你清楚
投往幸福的旅途
黄昏才领悟
该往哪里停驻
我用一辈子去追逐……

干干净净的女声飘出来，吉利哥哥随着她轻轻哼

唱。这首歌安静得就像此刻的世界，黄昏，微风习习，远天有大片大片的火烧云。

"好听吗？"

"好听。"

旋律很动听，歌词很简单，感觉是那么轻，那么恬淡和从容。随着MP3里的声音，我也轻轻哼了出来："风吹呀吹呀吹，吹在微凉的梦中；梦追呀追追呀追，却停在原地不动……"

啪啪啪！吉利哥哥为我鼓掌了。我觉得有些不好意思。这还是自己第一次唱歌没跑调呢。

"这是《微笑pasta》的歌吧？"我想起自己暑假看过的那部台湾偶像剧，张栋梁和王心凌演的，一个偶像和一个傻大姐的故事，真的很梦幻呀！

"好像是吧，不过真的挺好听。你听，还有风的呼啸声呢。"果然，不知道是外面的风声，还是音乐里的风声，在我们的耳朵里打着转吹过。

"好好练这首歌怎么样？"吉利哥哥突然说，"我发觉如愿特别适合唱这首歌。"

"好啊好啊！"我激动呀，长这么大，还是第一次因

为唱歌被人夸呢。

"哥，干吗老让我唱这个啊？选点别的歌让我唱吧。"在唱了十几遍以后，我舌头发麻，开始不耐烦了。

"你哪首歌唱得好啊？"吉利哥哥像严厉的音乐老师，"好好练，练一首是一首，不要连一首也唱不会，还说是我卫吉利的妹妹。"

哥哥说得挺有道理的。很多歌我只会哼哼，还哼不好，老跑调。还是好好练一首歌吧，这就叫保留曲目。

一遍又一遍唱下来，不知是吉利哥哥赞许的眼光让我勇气大增，还是阳台上美丽的黄昏让我对歌词有身临其境的感觉，我的脑海里全是歌曲旋律，开始唱得像模像样了。

像笛声一样动人

　　校庆那天一大早，我就被吉利哥哥拽起来，在朝霞还没完全消失的阳台上，唱了几遍《黄昏晓》。允典阿姨捧出了第一次来我家时送给我的那件白裙子。漂亮的一字领，荡漾的美人鱼一样的裙摆，左肩胛的位置盛开着两朵小小的透明的花。

　　"阿姨，为什么让我穿这个呀？"允典阿姨的见面礼，我一次也没有穿过，因为太浪漫太梦幻太好看了，还没有找到合适的机会。

　　"难得有不用穿校服上学的机会呀，不该穿条好看的裙子吗？"阿姨笑着说。

　　我乖乖换上这条白裙子，先偷偷在镜子里打量了一下自己。

　　"像公主一样啊！"我喃喃自语，手指触向镜子里的自己。

　　漆黑的发，亮亮的眼睛，飘逸的裙摆……

　　我捂住烫烫的脸，小声说："祝如愿，真好看！"

　　祝小公主出场，爸爸、允典阿姨还有吉利哥哥都愣了，一起默不作声地看着我。

　　爸爸第一个感慨："如愿穿裙子很漂亮啊！以前我怎么光知道给木偶做裙子，没想到给如愿做呀？"

　　允典阿姨走上来替我整整裙摆："如愿本来就是漂亮小姑娘呀！"

　　我瞄了瞄吉利哥哥。其实，我最希望得到他的赞赏。

　　"臭美臭美！"那家伙故意气我。

　　我听得出来，哥哥的弦外之音是："真美真美！"

　　"如愿，我给你化点淡妆吧。"允典阿姨退后几步看看我。

　　我点点头，忽然又说："阿姨，我不要红鸡蛋。"

"那不是红鸡蛋，那叫腮红。阿姨只会给你擦红粉绯绯。"

我闭上眼睛，感觉到阿姨在我脸上轻盈地点点点，刷刷刷，像杨柳枝条轻拂过脸庞。

中间我偷偷睁开眼，看到爸爸站在一边，替阿姨拿着化妆盒，表情像个好奇的小男孩，嘴巴半张着。

"好了！"随着阿姨低低的一声欢呼，我迫不及待睁开眼。

镜子里的小姑娘，像被仙女棒点过了一样，眉梢眼角都是淡淡的粉红，嘴唇更像是粉色花瓣，闪着水润的光泽。

"这下更好看啦！"我高兴得只会呵呵傻笑了，然后一回头，马上也愣住了。

穿着白衬衫黑长裤打着黑领结的吉利哥哥，像个真正的王子。吉利哥哥还不是很适应镜子中的自己，脖子像被领结卡住了，板着脸，一个劲清喉咙。

阿姨从房间里拿出了一个深玫瑰色的长条形皮箱交到哥哥手里。吉利哥哥吧嗒打开来，我又看到了那支擦得锃锃亮的银色长笛，静静躺在铺了软垫的箱底，像个

沉睡的美丽公主。

"哥哥，你要吹……"我欢呼雀跃。

"快点走啦，"吉利哥哥酷酷地打断了我，"要迟到了！"

穿得这么隆重，真的只是去参加校庆吗？我一边走一边嘀咕。这一路上，不知多少眼睛从我们身上飘过。很多女生看到吉利哥哥，先是一愣，然后发呆，再然后的情形就是一句歌词："当王子被发现，目标就在眼前，我们向前冲吧！"

吉利哥哥发足狂奔，连拉带拽。

我跌跌撞撞跟着，嘴里嘟囔："有个帅哥哥真累人啊！"

"怎么了？"吉利哥哥转过来问。

我拉住哥哥的手："脚有点痛。"

为了配新裙子，我穿了双新皮鞋。平时穿惯了运动鞋，穿皮鞋总是感觉有点挤脚。鞋子是允典阿姨买的，不圆不尖的头，鞋面上飞着两朵粉色的蝴蝶。

进了校门，吉利哥哥丢下一句"一会开场我来找你"，就匆匆走了。

神奇女生
祝如願

我走进教室，把所有人都震住了。

穿着粉红小礼服的许小橙跑过来，鼓着腮帮子："喂，祝如愿，今天你没表演吧，干吗抢我风头？"

"嘿嘿，嫉妒我漂亮了吧？"

"谁嫉妒你呀！你就算整容也比不上我天生丽质。"许小橙做了个鬼脸跑了。

下午，同学们都聚集到了学校的礼堂里。吉利哥哥果然来找我了。我被哥哥一路拉着走进礼堂，没往礼堂里的座位走，倒往后台走去。

我觉得不对劲。我又不表演，干吗往后台走？

停住脚步，我把卫吉利一拉："哥，干吗去呢？我们走错了吧？"

"没错，跟我来！"吉利哥哥的大手抓得更紧了。

我没得选择，只有继续跟着他走。没办法哦，有个霸道的哥哥，他指向哪我就得跟到哪。

到了后台，哥哥班级的班主任走过来："卫吉利，这就是你的搭档啊？"

"搭档，什么搭档？"我有点搞不清楚状况了。

"一会我吹长笛，你唱歌。"吉利哥哥轻描淡写地说。

"不可能！"我不敢置信，"我根本没有经验，会丢死人的。"

"你把台下的人当成是一群鸡蛋不就好了？放心吧，只要你唱，我都跟得上。"卫吉利拍拍我的脑袋，把前因后果讲了一遍。

原来他们班上评选节目的时候，男女同学分成了两派。女同学想要看吉利哥哥表演，男同学想要看吉利哥哥出糗，一个人都不肯表演。这样，矛盾的焦点都集中在他一个人身上啦。老班没法，命令他一定要上。偏偏老班正好还是允典阿姨的老同学，在阿姨面前不停地吹风。阿姨直接下令吉利哥哥上台表演，还翻出了那支银笛。

"你表演就表演好了，干吗扯上我啊？"我生气了，"人家一点准备也没有！"

"我倒霉你逍遥，这世界上哪有这么好的事！同甘共苦知不知道？"可能是成功陷害了一个人，吉利哥哥一副看好戏的样子，"再说，在家里阳台上，我已经帮你彩排了多少遍啊！"

　　"如果我在台上丢糗你就死定了！"我没法再做乖乖小妹，丢了一把眼神飞刀过去。

　　"有哥哥在，怕什么？"吉利哥哥淡定地说。

　　他打开箱子，取出银笛，用柔软的布轻轻地擦拭，然后放到嘴边，微微嘟起了嘴唇，准备试音。

　　在后台的时间快得像飞一样。一想到马上要上场，我连脚趾头都在哆嗦。前台传来的声音比坐在观众席里听到的还要大。

　　我扯扯他："哥，我好紧张！我做不来的。"

　　"相信我，你会做得很好。"吉利哥哥给我一个无比肯定的眼神，"相信我，台下是一排鸡蛋。校长是鸡蛋A，老班是鸡蛋B，每个人都是白白的圆圆的，还有小尖头。"

　　演出开始了，吉利哥哥拉着我的手上台。哥哥的手很温暖，很有力，掌心里传递出来的温度，让我怦怦乱跳的心渐渐安定下来。舞台什么时候变得这么宽阔了，不是一向那么窄那么小吗？四面八方的视线汇集过来，看着舞台上这小小的两个人。聚光灯打在我们脸上，把

渺小的我们烘托得那么明亮。

第一次，我成了舞台的中心，被无数人注视。

"鸡蛋，鸡蛋，鸡蛋。"我一遍又一遍念着，心里的恐惧好像没有这么巨大了，双腿也停止了颤抖。

"下面请欣赏独唱《黄昏晓》。演唱，初一（二）班祝如愿。初三（五）班卫吉利同学长笛伴奏。"主持人报完幕，晃了一下就下场了。

场下掌声雷鸣。呵呵，我似乎看到了一个又一个鸡蛋举着白色的手，蛋壳上咧开了嘴，又搞笑，又恐怖。

音乐响起。秋风经过黄昏，打了一个小小的转，卷起了一片树叶。吉利哥哥的银笛发出的声音，就像是落叶轻轻跌落地面，被风卷走，轻灵寂寥，低回悠扬。

有人说

天刚要黑的时候

在天边出现的第一颗星星

它叫做黄昏晓

我觉得自己的声音不知道是从哪里传出来的，简直

不是自己的声音。在音乐的伴奏下，在吉利哥哥令人心旷神怡的长笛声中，曾经一度僵硬的身体，慢慢舒展开来，声音也逐渐变得柔软。

那个下午，在所有灯光都熄灭的礼堂里，在只有两束灯光打下来的舞台上，四周静悄悄的，只有那百转千回的长笛声在每个人的心中荡漾着。雪白的少年，纯白的少女，全神贯注吹奏着，婉婉转转歌唱着。声音像是来自天外，带着一丝追忆，一丝惆怅，一丝茫然，在礼堂上空回旋。

"太过分了，怎么可以这么好看！"许小橙握着拳，夸张地喊着。

"我吗我吗？"我凑过去，被许小橙一拳打到角落。

"什么你啦！我说的是卫吉利，太好看了太英俊了太帅气了。吉利王子殿下……"

"我也很好看！你不觉得我像公主吗？"被忽略的我有点嫉妒。

手执银笛的吉利哥哥后来这么对我说："那是因为

你哥哥我，绝对是实力派兼偶像派！你懂吗？"

我故意给他一个不屑的眼光。此后，吉利哥哥在这所学校更出名了，甚至成了传说中的网络美少年。不知道谁拍了他吹长笛的照片贴到网上，竟然有女孩在百度给他开了个"长笛少年吧"。

"哇，这是谁啊，气质男生啊！"

"像天空一样晴朗，像笛子一样动人。"

"他让我树立了对本土帅哥的信心！"

吧主MM叫吉爱，大大方方地宣布："我不暗恋，我要明恋。我正大光明地喜欢长笛少年！"

我一边在贴吧里看帖，一边笑呀笑："哎呀，这个优质美少年就是我哥哥呀！"

我觉得很骄傲，很幸福，很自豪。

快乐不停不停地
被吸走

　　生活如意，学习也如意起来。我平平安安过了期末考试，还拿了全班第三名的好成绩。对于一向成绩中游的我来说，这真是绝对称心如意的结果。

　　期末考之后，就该是寒假啦。扳手指数数，允典阿姨来家里，快半年啦！

　　以前，我根本就没有想过，自己可以这么幸福。我有对自己呵护备至的新妈妈，有和自己打打闹闹一起上学的好哥哥。

　　幸福可以一直这样延续下去吗？一定可以的！我是谁？我是神奇小姑娘祝如愿啊！

当你说一定可以的时候，就是说要给自己打气了，就是说事情变得有那么一点点不一定啦。

放假后家里的气氛有点不对，我看出了一点点征兆。

变化是从饭桌上开始的。饭有时不是焦了就是根本没熟，菜不是少放了盐就是咸得要死。

"允典阿姨，你没事吧？"我吃了一口夹生饭，忍不住问。

"没事。不好意思，最近有些忙，厨艺退步了。"允典阿姨很歉疚地说。

她最近好像瘦了，脸色不太好。

"阿姨，你是不是没睡好？有黑眼圈了耶，会显老的。"

"小姑娘家家，大人的事，瞎操心什么，胡说什么呀！"在一旁埋头吃饭的爸爸突然发火了。

"大家都别说啦，吃饭吧。"吉利哥哥的声音冷冰冰的。

爸爸端着碗，放软了口气："对，吃饭吃饭。"

眼泪在眼眶里打转，我使劲憋呀憋才没让它流下

来。

家里的气氛，就像悲伤入侵，冷风过境。每个人的身上都贴着"别惹我"三个字，每个人的头上都仿佛有个低气压漩涡，把那些快乐不停不停地吸走，只留下悲伤和难过。

这是怎么了？真是莫名其妙啊！

下午，难得阳光灿烂，我主动去帮允典阿姨晒被子。这样做，也许可以减轻些阿姨的家务负担，让大家都开心点。

刚抱起阿姨的被子，随手一带，枕头掉地上啦，跟着飘出一封信。上面写着"市交响乐团柳允典收"的字样。歪歪扭扭的铅笔字，比螃蟹爬过还要难看。要说是孩子写的，可是每个字都好大，笔画很深，好像只有大人才有那么大的力气哦。小孩的字迹，大人的笔力，到底是什么样的人写的？

我好想打开来看看，好像要去窥探一个很大很大的秘密。手碰了一下信封口，马上触电一样缩回来。我只能深深吸一口气，把这封信塞回阿姨的枕头里。

到底是谁给阿姨写的信，大人还是小孩？阿姨为什

么要把信塞在枕头里？影影绰绰的，我感到这封信似乎和家里最近的变化有关系。

爸爸、阿姨还有吉利哥哥的嘴巴都像上了锁，只用石头一样的沉默来应对我满是探询的焦虑眼神。家里的气氛一天不如一天了。

阿姨的眼泪越来越藏不住，好像春天的雨，没日没夜地下。脸上的小酒窝不见了，悲伤被浸到了很咸很咸的泪水里。

爸爸的快乐也消失了。他成了那个被燕子啄去了所有宝石的快乐王子，不再笑得灿烂，曾经爽朗的声音变低沉了，也不再有心思整理自己的仪表。允典阿姨似乎也没心思给他熨烫衬衫和裤子了。

有时我和爸爸一起看店，他半天都没声音。我憋不住叫一声爸爸，回答我的只是一声呼噜。爸爸垂着脑袋在那瞌睡，头发乱糟糟的，口水落在膝盖上。

我傻傻地看着爸爸。这是怎么啦？明明允典阿姨还在身边，爸爸怎么又恢复了之前的那个老样子？垂头丧气，一点也不振作。

在整个家里，只有我不知道究竟发生了什么事情。吉利哥哥也不多搭理我，脸上几乎是零表情。

原来他也耍酷，可那种酷对我而言就像冰淇淋，只要我拿小手指捅一捅，马上就会融化成甜甜的笑容。现在的酷，是拒人于千里之外的冷漠，好像结了厚厚的冰，任我怎么摇晃他靠近他，他也只是一颗一颗掉冰渣子。

晚上，我趴在窗台，对着妈妈的红木头鞋子许愿：快点告诉我，到底发生了什么样糟糕的事情，让家里每一个人都那么低沉那么阴沉那么悲伤？

过了这么多年，妈妈的红木头鞋子仍旧鲜鲜亮亮。迷惘又伤心的我在它们面前趴了好久好久，倦得眼皮要粘在一起的时候，心里忽然掠过一道神奇的光亮。我猛然睁开眼睛，突然明白了天使妈妈为什么要给我留下这双木头鞋子。她在告诉我，所有的事情，无论好事还是坏事，所有的日子，无论快乐或者悲伤，最终都会过去的。

于是我停止许愿，摇摇晃晃地走到床边，倒头就睡。

　　第二天，允典阿姨停止了哭泣。她在厨房里忙了很久很久，而且不许我们任何人进去帮忙。开饭的时候，我瞟了一眼餐桌，咖喱牛肉、清蒸黄鱼、糖醋烤麸、东坡肉……分别是我、吉利哥哥、允典阿姨还有爸爸最爱吃的菜，满满堆了一桌。

　　对着一桌子好菜，我一滴口水也流不出来，连举筷子的愿望都没有，心里只有慌张。我预感，有什么事情真的要发生了。

　　没有一个人动筷子。

　　允典阿姨不停地说："吃啊，你们吃啊……"她的语气简直像在哀求。

　　可是谁也没有夹起一块肉或一块鱼，每个人都好像在静静等待着，等待允典阿姨说出她真正要说的话。我想，阿姨也许要宣布一个很重要的决定。

　　这么想着，允典阿姨真的开口了，声音很轻很悲伤："对不起，我和吉利要离开这里。"

　　我和爸爸同时露出被雷击中的神情。我耳边更掠过轰隆隆的声音，一下一下猛捶着我的心。我不得不捂住耳朵。

"哥哥，这是为什么呀哥哥？"我抓着吉利哥哥的手问啊问。

哥哥的嘴巴紧紧闭着，说不出一句话。他的鼻子红了，接着，眼泪一颗接一颗滚出来。

哥哥哭了，第一次，在我的面前。

"是不是我做了什么不好的事情，惹允典阿姨不开心了？我会改的呀，一定会改的！"我呜呜地哭起来。

"不是，如愿，你很好，是我们对不起你。"吉利哥哥使劲使劲摇头，好像有很多话冲到了他的喉咙口，可就是一句也说不出来。

"那么，"我泪流满面，把头转向爸爸，"是爸爸不好吗？爸爸不会煮好吃的菜也不会熨衬衫，让阿姨受不了啦？"

"不是，不是！我保证不是！"允典阿姨使劲使劲摇头，也已经泪流满面，"给一家人做菜熨衣服是温暖幸福的事啊！"

爸爸一语不发地站起来，拉着允典阿姨走向房间："我们再好好谈谈吧。"

他们关起房门谈了很久。我和吉利哥哥面对面坐在

餐桌两边，面对一桌子菜，像两个没有嘴巴也没有鼻子的木头人，一动不动。

好像足足过去了一百年那么长的时间，房门打开了。

爸爸似乎一下子老了十岁，嘶哑着嗓子对吉利哥哥和允典阿姨说："你们走吧，我不拦你们。"

我哭着跳起来，大喊大叫："为什么为什么？我不让允典阿姨走不让吉利哥哥走！"

并不是所有的心愿都能实现的。曾经实现的，也会破碎。

家里空了一半

允典阿姨和吉利哥哥就像奇妙酱，给我和爸爸的生活带来了全新的幸福滋味。一对孤独的父女，一对漂亮的母子，就像两个半圆合并在一起，变成完美的四口之家。我以为从此可以享受这种天衣无缝的幸福，我甚至心满意足地不想再许愿。

可是这个半夜，我又一次对着妈妈的木头鞋子许愿：不要让他们走好不好？不要让他们走好不好……

我悄悄起来，摸黑走进客厅，走到玄关那边，蹲在鞋柜前，悄悄开了门口的一盏小灯，打开柜子，抚摸着吉利哥哥一双又一双鞋子。

　　这双洗得泛白的匡威，是哥哥第一次来家里的时候穿的。

　　这双黑白相间的NIKE，哥哥在学校里经常穿。

　　这双棕色高帮运动鞋，是哥哥生日的时候我用自己存的钱在热风店里买的。

　　这双藏蓝的篮球鞋，是国庆节的时候去外婆家时穿过的。那上面还破了个小洞洞，是那天爬山的时候磨破的。

　　这双黑色的绅士鞋，是上次校庆表演的时候哥哥穿过的。

　　吉利哥哥的鞋子安安静静排着队站在那里。每双鞋子都说着一个故事。它们和我每天走过相同的上学放学的路，拥有太多在一起的亲切回忆。

　　"为什么要走呀，哥哥？"我的泪珠一颗颗滚落在哥哥的鞋里。

　　"一定会有办法让你们走不成！"我咬咬下嘴唇。

　　既然我是拥有祝如愿这个神奇名字的小姑娘，那么这个心愿一定会实现的。

　　第二天一早，允典阿姨打开鞋柜，整个人都木在那里。

鞋柜空荡荡的，所有的鞋子，她的和吉利哥哥的，都只有右脚，没有左脚。

"阿姨，鞋不见啦，它们自己跑出去玩啦。你们不要走了好不好？"

允典阿姨开始不停地掉眼泪，除了说对不起对不起，好像不会说别的了。

"如愿，不要这样！"爸爸的喉咙有点嘶哑。

"我不！"

如果自己不能挽留允典阿姨和吉利哥哥想走的心，那么就把他们的鞋藏起来。拖一天是一天，只要有时间，只要我拼命祈祷拼命许愿，也许就有转机，也许就会有奇迹发生。

"阿姨，你记得吗？很久以前，我们一起在店里看《绿野仙踪》，你和爸爸一起给我翻译的那句话，There's no place like home？"我抱着最后一点希望问她。

"没有一个地方，可以和家一样。"阿姨点头，又一颗重重的泪珠在眼眶边摇摇欲坠。

神奇女生祝如愿

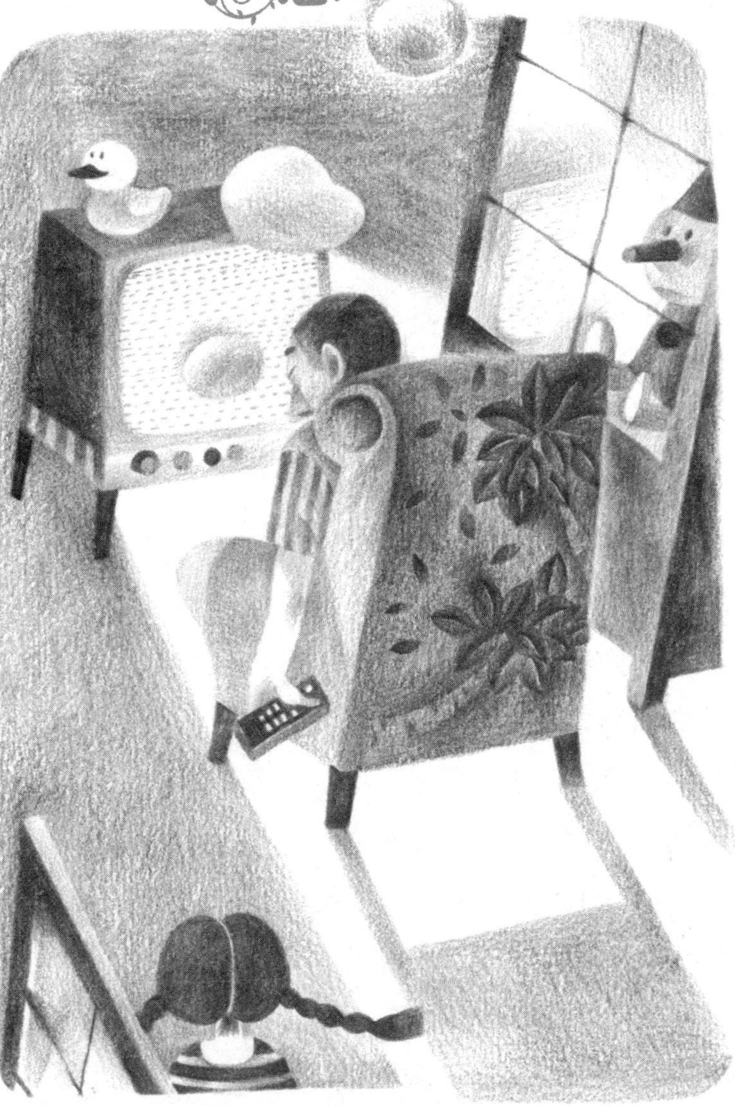

　　"我们生活在一起，就是最最好的家了，你们舍得离开吗？"

　　"我有一种感觉，我们再也回不了家了！"阿姨看着我，一边流泪一边摇着头，脸上的表情伤心而决绝。

　　我泄气了，一下瘫下来，跌坐在地板上。

　　允典阿姨回答我的，是《绿野仙踪》中小姑娘多罗茜对她的小狗托托说的一句话。

　　吉利哥哥始终一言不发，他趿拉着拖鞋打开房门，径直走出去。

　　我啊啊叫着，飞快地套上鞋追出去，紧紧跟在哥哥身后。哥哥耷拉着脑袋，像是游魂一样在街上游荡。

　　哥哥走进一家鞋店，随便挑了一双黑皮鞋，又挑了一双女式皮鞋，立刻付钱。

　　我跑过去，抓住哥哥的手，不让他拿新鞋子。哥哥挣脱出一只手，然后一根、两根、三根……一一掰开我的手指。哥哥的眼眶红了，可是他没说一句话。

　　当我的最后一根手指被吉利哥哥掰开时，我觉得身上最后的一丝力气也消失了。我一下蹲下来，在鞋店里，不顾一切地无声痛哭。

　　吉利哥哥就站在那里，手上提着新买的皮鞋，任凭我一边哭一边握起拳头使劲使劲捶打他的腿。

　　呜呜，呜呜，我狠狠地想，要是我能把哥哥打伤就好啦，这样哥哥就算买了新鞋子也走不了了。呜呜，呜呜，就算我背不动也要背，非得把哥哥背回家不可！

　　结果，哭得上气不接下气的我又一次遂了心愿了。不过，这次是吉利哥哥背着哭得昏昏沉沉的我回家的。

　　回到家，爸爸的肩膀塌着，好像骨头都断了。他拼命吸烟，一支又一支，烟头零乱地丢在四周，都被踩烂了。

　　我连哭的力气也没有了。办法想尽了，眼泪也流完了。

　　我和爸爸就这样眼睁睁地看着允典阿姨提着那只长笛盒子，吉利哥哥拉着行李箱子，两个人脚上穿着临时买的皮鞋，消失在门外。

　　半年，只有半年的时间，允典阿姨和吉利哥哥就从我和爸爸的生活中迅速地抽离。家里像被一场龙卷风刮过，空了一半。

比家更空的是我和爸爸两个人的心房吧。

如果一个人一直在黑暗里，他也许就会习惯于黑暗。如果一个人一直在绝望里，他也就会习惯于绝望，能够忍耐绝望。可是千万不要给他带来一丝光明又抽身离开。允典阿姨给爸爸带来了希望，现在希望没有了，爸爸几乎立刻就垮了。

我也垮掉了。阿姨没有了，哥哥没有了。

哥哥走后，我第一天上学，坐在教室里，捂住脑袋偷偷哭。

进了校园，处处都有哥哥的影子。教室的门口，很多次很多次哥哥的脑袋在那里一晃一晃，等我一起吃饭，陪我一起放学；林阴道上，哥哥和我一起走过，带着阿姨准备好的香香的便当盒，在梧桐树下的铁椅上坐着；图书馆最靠窗的那片地板，阳光曾经洒在我和哥哥中间，也洒在我们膝盖上摊开的书页上

这些回忆，遥远得让人疼痛，像一把针刺进心里。

坐在双层巴士上，曾经摇晃的每分每秒，靠在哥哥微宽的肩膀上，你一个耳塞我一个耳塞听歌。

下了车走过大街小巷，走到"木头人"对面的超

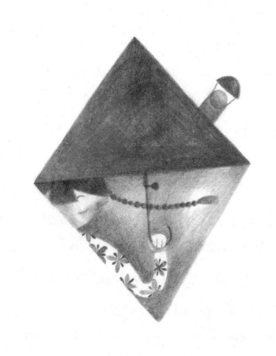

市，咖喱的味道撒着欢迎面扑来。我深深呼吸，连空气
都能证明允典阿姨曾给我带来的美味和快乐，那么强
烈，那么奇妙。我一低头，逃一样穿过马路，咖喱味道
烟消云散在身后。

幸福就是过眼云烟

　　这座城市很大，可是我们生活的地方又是那么小。关于允典阿姨的离开，传说得沸沸扬扬。他们甚至说允典阿姨是骗子，卷走了爸爸所有的储蓄。

　　我很清楚这是没有的事儿。要说这个家开始有储蓄，也是允典阿姨来了以后一点点积攒起来的。临走的时候，一个存折在爸爸和允典阿姨之间推来推去，她最终还是一分钱也没拿走。

　　允典阿姨的确卷走了很多东西，比如我和爸爸好不容易重建起来的对家的感觉。

　　为什么阿姨和哥哥要走？为什么爸爸眼睁睁让他们

离开？我实在太不甘心了，反反复复问爸爸，一定要爸
爸给出一个答案。

"让他们走好了。"爸爸有点失神，"就算留住了
人，也留不住他们的心，那又有什么意思呢？"

"他们的心要去哪里呀？"

"回到他们自己的家。"爸爸的声音又干又涩。

"他们的家？他们的家？"我傻了，以为自己听错
了，一连问了两遍。

允典阿姨和吉利哥哥的家，难道不是在这里，不是
和我们在一起的家？

爸爸沉沉地点头："你吉利哥哥的爸爸回来了。"

"吉利哥哥的……爸爸？"我感觉舌头像绊了一
跤。

这个称呼怎么这么别扭？我脑海里闪过十月长假，
在吉利哥哥外婆家的海边，听哥哥说起的那个一点点从
他和允典阿姨生活里消失的不负责任的人，后来又突
然冒出来派律师把他们母子从香花桥家里赶走的狠心的
人。

爸爸告诉我，吉利哥哥的爸爸其实是出国了，出国

以后就再也没了消息。一连几年，允典阿姨和吉利哥哥在失望和伤心中慢慢忘记了他，慢慢习惯了相依为命的平静生活。没想到他因为生意失败，回转过来把他们从房子里赶走，拿着买房子的钱去投资做新生意。允典阿姨在伤心绝望中接受了"一对善良又神奇的父女，他们让她相信童话真的能变成现实 ，所以下决心带着吉利哥哥，在一个新的环境里开始新生活"（爸爸说这些都是允典阿姨的原话）。可是，吉利的爸爸拿着买房子的钱去投资，成功赚了一大笔钱，又回来找到他们母子，请求他们回去。

允典阿姨想了又想，向爸爸坦白："自己很没用，还是忘记不了吉利的爸爸，因为毕竟他们曾在一起幸福地生活过。况且作为亲生爸爸，他可以给吉利一个更好的未来，可以送他到国外接受最好的教育。"

我呆呆地想，幸福就是过眼云烟啊，爸爸抓不住，我更抓不住。说到底，我还是一个不能如愿的小姑娘。

允典阿姨这样的选择，深深伤了爸爸的心，也伤了我的心。

又过了一段艰难的日子，我不得不承认，相对于把陌生人变成亲爱的人，将亲爱的人变成陌生人要难得多得多。

我开始给允典阿姨和吉利哥哥写信。我的信有三种。

一种是爸爸口述让我写的。爸爸在信里狠狠责备允典阿姨是虚荣的人，是过河拆桥的人……好像要借我的爪子，去挠伤允典阿姨，让阿姨也负疚难过。

另一种是我写给允典阿姨的说明信。"对不起对不起，那都是爸爸要我写的。妈妈，其实，我无数次在心里这么默默叫过你了。妈妈你还是会回来的对吧？你和吉利哥哥所有的鞋子我都擦得干干净净的，它们一只一只都傻傻地张大嘴巴，随时等着你们回来呢。"不知道为什么，只要一想到允典阿姨那清新甜美的笑容，我对她就总也恨不起来。

最后一种是偷偷写给哥哥的。我告诉哥哥我多么怀念我们在一起的短短的却是幸福满满的时光。那是我从没有过的好时光。我告诉哥哥我不再是一个孤单单的小姑娘，因为我有一个令所有女生都羡慕、妒忌的哥哥。

我告诉哥哥我希望他一切都好，能够如愿以偿到国外开始美好的新前程，那的确是我和爸爸不能给他的。

我的生活好像被写信和等信填满了。我写啊写啊，我等啊等啊……

可是，只有发出的信，没有回来的信。

失望和失落越积攒越多，铺天盖地要把我整个吞没。

爸爸整天整夜地看碟片，我也呆呆坐在旁边一起看。看完一片，爸爸站起来，梦游一样在一排排碟片架里走来晃去，随手取下一盒，放进机器，然后继续看，继续换下一片，下一片……

看着看着，我忽然发现，爸爸放的，都是允典阿姨爱看的片子。我们看《西雅图不眠夜》，爸爸悄悄塞给允典阿姨看的片子。当初爸爸还在信里给阿姨讲这个故事，充满憧憬地对阿姨说："如果你愿意听，那就是生活里山姆、乔纳还有安妮的故事。"

结果，憧憬中的故事真的在生活里发生了，又令人伤心地结束了。

再看一遍这部电影，我只记住了一句台词："命运

也许会成为厄运。"

我和爸爸单独生活的那些年,虽然孤单但是平静。可是允典阿姨和吉利哥哥从天而降,我们真的以为是幸运,结果却把我们变成一对伤心绝望的父女。

我们看《天堂电影院》。意大利小镇,发黄的广场街道,橘黄色的阳光,静静矗立的天堂电影院,一群热情的小镇居民,喜欢随着电影情节一起欢笑和哭泣。精灵的小男孩翁多多整天泡在电影院里。放映员艾弗多告诉翁多多:"生活不像电影上演得那样好,生活比电影苦。"

我曾那么相信,电影里的事情会降临到生活中来。允典阿姨真的来了,吉利哥哥也跟着来了。可是现在我知道了,梦想会成真,但也会在某一天说破碎就破碎。

我和爸爸已经开始无止无尽地品尝梦想破碎的苦涩味道。

我们看《阿甘正传》。弱智儿阿甘小时候被人欺负。他听小女伴珍妮的话开始"跑",一路跑进了中学,跑进了大学,跑成了一个橄榄球明星,后来又成为了士兵、企业家、园丁。他始终爱着珍妮,他们一次次

分离又相聚……

　　那一天爸爸好像又被这个电影迷住了，又或者他根本懒得再起来去翻找下一片碟片。反正他摁了一次又一次重放键，我也跟着看了一遍又一遍。屏幕上的光一闪一闪投射到我们的脸上，电影里的故事一幕幕投射到我们的心里。

　　电影一开头，阿甘坐在公共汽车站的长椅上，打开一盒巧克力，用他又平又直的语调说："生活就像一盒巧克力，你永远不知道拿的是哪一颗。"

　　允典阿姨第一次推开"木头人"的大门，我永远记得那两只甜甜的小酒窝突然跳到我们面前，像火柴一样擦亮了我和爸爸死气沉沉的生活。

　　阿甘和珍妮失散了很久，可是有一天珍妮突然回来了，并且和阿甘同甘共苦地生活在一起。幸福的阿甘觉得，"奇迹每天都在发生"。

　　我向天使妈妈留下的红木头鞋子祈祷：给我一个妈妈吧，再给我一个哥哥吧！奇迹接二连三地发生了，允典阿姨和吉利哥哥真的来到我们身边，有爸爸有妈妈，有哥哥还有我这个小女儿，团团围坐在餐桌边，多么完

美幸福的四边形。

　　阿甘和珍妮重逢，阿甘幸福极啦，因为他"和珍妮形影不离"。

　　那些日子里，爸爸和允典阿姨形影不离，我和吉利哥哥形影不离。我以为我们真的会像童话里一样，幸福和快乐到永远！

　　可是珍妮还是离开了阿甘。自暴自弃的她说出了令阿甘心碎的话："求你离开我。"

　　大仙女一样的允典阿姨，王子一样的吉利哥哥，不管我和爸爸怎么难过，不管我藏起了他们的所有左脚的鞋子，还是带着银笛还有大大的箱子，头也不回地离开了我们。

除了如愿姑娘
谁也不爱

我一边看一边想啊想，然后眼泪就掉了一颗又一颗。

爸爸一边看，一边一次次仰脖，一大口一大口往喉咙口灌啤酒。爸爸喝醉了，开始不停不停地喊"允典允典"。他把两张靠背椅子拖来拖去。拖开来，说你走吧走吧。又把凳子拖过来紧紧挨着，说别走哦我们一起看你最最喜欢的电影。

爸爸和允典阿姨经常一起偎依在那里看碟。允典阿姨喜欢把头搁在爸爸肩膀上，看着看着就睡着了，像小女孩一样流口水，把爸爸的肩膀都濡湿了。

两只凳子拖开来又靠在一起，靠在一起又拖开来。咯吱咯吱的声音又尖又利，反反复复折磨着我的耳朵，也划过我的心。

"爸爸，不要，不要啊！"我捂住了耳朵。

"允典阿姨走啦，不会再回来啦！"我揉着胸口。

爸爸什么也听不进去，继续机械地拖开，并拢，拖开，并拢……

我受不了啦，推倒了允典阿姨常坐的那张椅子，跌跌撞撞地跑了出去。

我跑到附近一家饮料吧，躲在角落里大哭了一场。纸巾像雪花一样铺满了桌子。然后我肿着眼睛叫了蜜汁烤鸡翅，用叉子切成一小块一小块狠狠地咀嚼。

我叫了一壶薰衣草茶，镇定情绪。

我叫了两块抹茶蛋糕，填饱肚子。

尽情哭够了也吃饱了，我回家收拾了一个大包，头也不回跑去车站。我要亲自去问允典阿姨，还有吉利哥哥，为什么不回信。他们是真的完全忘记了我和爸爸了吗？

　　我义无返顾地跳上了一辆公车，手里握着最新一封给哥哥的信。在信里我告诉哥哥，我已经报名参加了校园歌手比赛，我要唱那首《黄昏晓》。我问哥哥，愿不愿意再为我吹一曲长笛伴奏。

　　一路上，我额头抵着车窗，想起了很多很多的四口之家的往事。回忆里滤去了所有的不快乐，剩下的全是开心和美好。

　　有时会骂我小笨蛋的哥哥对我真的很好。每次在学校里吃过便当，都会递上一盖子薄荷味道的漱口液，同时笑嘻嘻地说小笨蛋不要咽下去肚子痛他可不管。

　　我们一家四口在森林公园烧烤，玩过山车，玩碰碰车。阿姨的技术总是很差，一撞就会哇哇大叫。玩射箭的时候，我和阿姨都拉不开弓。爸爸帮阿姨，吉利哥哥帮我开弓。结果我们分别把箭射中了对方的靶心。射箭馆的叔叔哈哈大笑着说，真是一家人，就是射偏了也要落到自家地盘……

　　每个傍晚爸爸会把阿姨从厨房里推出去，由他来洗碗。阿姨会在阳台上吹会儿长笛。我最最喜欢听《绿袖子》，一边听，一边痴痴看着阿姨秀丽的唇间飘出一缕

缕清幽的透明旋律。允典阿姨告诉我，《绿袖子》是一首英格兰民谣。阿姨轮流用中文和英文唱给我听。我还记得歌词，真美。

> 绿袖是我一切快乐
>
> 绿袖就是我的喜悦
>
> 绿袖是我心中的至爱
>
> 除了绿袖姑娘我谁也不爱

最后一句，阿姨喜欢唱成"除了如愿姑娘我谁也不爱"，当时我都快被幸福融化啦。

嘴里哼哼着"除了如愿姑娘我谁也不爱"，我心里又升起了一种神奇的希望，就觉得一切都不像我们想象的那样悲观。一切都会好起来的，只要再见到我的允典阿姨，我的吉利哥哥。

按照信封上允典阿姨的新地址（我已经背得滚瓜烂熟），我下了车，很顺利地找到了允典阿姨的新家。

这是一个普通的居民小区。允典阿姨的房子在底楼，客厅好大的玻璃落地窗。我趴在铁栏杆外，急切地注视着房子里的一切。我看到屋子里的家具上贴满了写着字的小纸条，好像是吉利哥哥学习用的。是哥哥在为出国闭关学英语吗？怪不得老收不到哥哥的回信。我心头奇怪地一松，马上释然了。各种各样的模型杂乱地堆在桌上，衣服就挂在外面，拖鞋和鞋子横七竖八堆在地上。在角落里，我看到一个安静到痴呆的背影，黑发里夹着白发，好像是阿姨家的某位长辈。

我转回到门口，按响了门铃。

开门的是吉利哥哥。他穿着旧旧的汗衫和邋遢的牛仔裤。看见背着一个鼓鼓的大包的我，又是惊讶又是紧张。

"你怎么来啦？"他站在门口，一手拉着门把手，一点也没有请我进去的意思。

"我想过来看看你们。"我说。

我很想指着哥哥的鼻子责问，为什么我不能来！可是再看看他，所有的怒气、怨气都突然消失了。

吉利哥哥瘦了好多，眼睛大得出奇，脸上一点肉也没有，是因为准备出国考试太辛苦了吗？

"哦。"吉利哥哥淡淡地应了一声，"我们挺好

的，妈妈出去买东西了。"

"那我等允典阿姨回来。"我蹲下来解鞋带。

"如愿，"吉利哥哥脸上掠过一丝烦乱，"妈妈要很晚回家。"

"我进去等。"我头也不抬，继续去解开左脚的鞋带，"我也带了书，待会和哥哥一起看书，一起等阿姨回来。"

"如愿，没什么事你还是回去吧！"没想到吉利哥哥也蹲下来，三下两下把我解开的鞋带又系好了。

"哥哥！"我受伤一样大叫，"我不回家！"

"那么，"吉利哥哥犹豫了一下，"你等着，我带你出去！"他转身进房，慌慌张张把门一关。

我被关在门外，心里冰冰凉。

等了几分钟，就像等了几个世纪那样漫长，吉利哥哥开门出来了，很不放心地往门里再张望一下。我也跟着踮起脚尖，好奇地往里面张望。

吉利哥哥飞快地把门一拉，套上鞋子拉着我就走。吉利哥哥带着我漫无目的地在外面乱走，始终不说话。哥哥不说话，是因为有太多话要说，所以堵塞在那里了

吧？我努力说服自己，不让失望委屈的情绪一下子窜出来。如果不能真的事事如愿，那么，就尽量把一切事情都朝着自己理想的方向去想。那也是一种叫自己遂愿的好办法吧。

　　走了很久，吉利哥哥终于开口问："如愿，你想去哪？"

　　我背了个大包，很重，肩膀被压得疼疼的，哥哥却好像没看见一样。

　　我真的生气了，丢出两个字："随便。"

我的左脚哥哥

　　果然是随便，吉利哥哥指了指前面的海洋水族馆："带学生证没有？"

　　我们拿着学生证买了两张学生票，进了市海洋水族馆。

　　我第一次看见了西瓜蟹，壳青青绿绿的，还有花纹，有火红的钳子。更新鲜的是泪光闪闪的接吻鱼，不接吻的时候就撅着嘴唇，生气似的。当两条接吻鱼碰面的时候，会一起伸出长有锯齿的长嘴唇，用力碰在一起很长时间不分开。它们不是要好，而是在打嘴架。谁要进犯了谁的领地，嘿嘿，就伸出长嘴唇来斗上一番，看

谁厉害。

　　我不由得想起刚刚吉利哥哥连门也不让我进，拉起我逃一样地跑的情景，心里酸酸的，嘴巴里马上表现出来了："哥哥好像很怕我进你们家搞破坏似的。"

　　"不是！"吉利哥哥坚决摇头，"是里面实在太乱了。"

　　"允典阿姨不收拾吗？"我想起了爱整洁的允典阿姨，以前总把家里收拾得井井有条。

　　"是没办法收拾呀！"吉利哥哥居然轻轻叹了一口气。

　　从我见到哥哥的那一刻开始，就感觉到他一点也不开心，甚至心事重重。

　　"喔，"我又问吉利哥哥，"你们收到我的信了吗？"

　　"收到了。"吉利哥哥说，低声但肯定。

　　"真的每一封都收到了吗？"我又追问一句。

　　哥哥再次点头。

　　"那为什么不回信，哪怕一封？"我既生气又伤心。

　　"想让你们慢慢忘记我们，忘记得干干净净才好！"

　　"我恨你们！"我想起爸爸对着允典阿姨坐过的靠背椅子失魂落魄喃喃自语，想起我写啊写啊等啊等啊总是绝望了又绝望，"哥哥，难道我们就真的比不上你爸爸吗？难道我不是你最喜欢的妹妹吗？"

　　吉利哥哥的眼里似乎泪光一闪。我鼓足最后的勇气看着他，就好像一个落难的公主等待王子的拯救。我等啊等啊，从没有一个答案让我如此心焦。

　　哥哥慢慢地握起拳头，越握越紧，紧到短短的指甲都要嵌到掌心里去一样。就在我要失声叫出"哥哥，疼吗"以前，他终于开口了。

　　吉利哥哥居然轻飘飘地说："如愿，你还是回去吧。"

　　我把包往地上一扔，一言不发打开鼓鼓的大包。

　　"如愿！"吉利哥哥短促地叫了我一声，完全呆住了。

　　里面装的全部是吉利哥哥左脚的鞋子，一只只都被撑得有点变形了。

　　我抬起头，用很异样的眼神盯着他说："吉利哥哥，你真的不记得我了吗？"

　　"怎么会？"吉利哥哥迷惑了。

　　我一边一只一只往外掏鞋子，一边说："好吧，我想告诉你一个左脚的秘密。那一年，我刚六岁，是个夏天，天气好热，幼儿园组织大班的小朋友参观小学。我们和一帮两年级的小哥哥姐姐们一起参加完升旗仪式以后，一起到体操馆玩左脚和右脚的游戏。哥哥，你记得那种游戏吗？就是两个小朋友一组，肩膀搭肩膀单脚跳，一个出左脚，一个出右脚，看哪一组跳得最快。"

　　吉利哥哥好像想起了什么，点了点头，"嗯"了一声。

　　"那天，老师动员二年级的小哥哥请幼儿园大班的小妹妹们一起玩。那些小哥哥们都很勇敢，一个接一个上去脱掉鞋子，站到软软的毯子上，和小妹妹们结成一组一组。可是啊，到了最后，只剩下了一个小妹妹和一个小哥哥。这个小妹妹就是我。那时候我又瘦又难看，脸上还脏兮兮的，像只小花猫。对了，我的衣服也脏脏的，都快一星期没洗了。爸爸演出忙，天天胡乱给我穿衣服。小朋友们都说我身上有怪味道，谁都不愿意和我玩。

"那天也一样，一个个小哥哥从我身边走过，稍微走近点的，抽抽鼻子，扭头就走。小姑娘最怕落单了，我抽抽搭搭地哭了起来。"

我的声音越来越轻，越来越沮丧。吉利哥哥走近来，蹲下来按着我的肩膀。

我感觉到他手掌的温度，抬起头对他微笑："也是这样，那个小哥哥看着我，终于慢慢走过来，牵起了我的手。他的手就和哥哥你一样温暖。他把我带到毯子旁边，慢慢脱掉小跑鞋。先右脚，后左脚……"

哥哥的嘴里发出了叹息。

我继续往下说："这个小哥哥啊，脱到左脚的时候，头就低得不能再低了。我听到周围的窃窃私语声变得响起来。小朋友拥过来，争先恐后数着，一、二、三、四、五、六。想不到吧，小哥哥居然有六根脚趾！有个小女孩夸张地尖叫：'卫吉利是怪胎！'然后大家四散着逃走。小哥哥紧紧攥着我的手，一动不动地站在那里，像个怪物一样被人嘲笑，眼泪憋在眼眶里团团乱转。"

一滴温暖的湿润，滴在我的脖子上。吉利哥哥在我身后，依旧按着我的肩膀，嘴里发出呵呵的笑声。我的鼻子酸起来了。

我捏了捏，用力倒吸一口气，用明快的声音继续说下去："当时体育馆里一团乱，老师只能重新整理队伍，好不容易开始正式比赛。小哥哥咬着牙，我也咬着牙。他出左脚，我出右脚，我们两个肩并肩，一起拼命朝前跳跳跳。我听见我们的脚落在地毯上发出的啪嗒啪嗒的声音。我和他第一个跳到了终点。小哥哥眼泪夺眶而出，连奖品也不拿就飞快地跑了。我追着他跑，一边跑一边喊左脚哥哥别走左脚哥哥别走……"

我微微侧转身体，一只手盖在吉利哥哥的手上，另一只手继续往外掏鞋子："六岁那年的新年，许愿的时候我偷偷说，我要一个妈妈，最好再给我一个哥哥吧！我第一眼看见允典阿姨的时候，我为爸爸快乐。然后你在后面出现时，我觉得你有点眼熟。我看到你左脚的鞋子一旁有突出的一块时，我快乐得发抖。我默默地对自己说：你再不是一个什么愿望都不能实现的倒霉的小

姑娘。从那一刻起，我相信所有的愿望都可以实现。因为，左脚哥哥真的成为了我的哥哥……"

袋子里的鞋子掏空了，我也像一个弹尽粮绝的士兵，喃喃地问吉利哥哥："你还记不记得，记不记得？你早就早就忘记了吧？"

我肚子里一抽一抽，很痛！哥哥和允典阿姨你们要过更好的生活，你们下了狠心要把祝如愿和她爸爸的影子从生命里彻底擦去吧？

如果没有遇见你们，我就不会那么幸福。可是，如果没有遇见你们，我也不会那么不幸吧？

电影里的事
真的会发生

"你的记忆好得让我难以置信！"吉利哥哥低头一只一只摸着那些被他六个脚趾撑得有点变形的鞋子。

"好吧，如愿！"抬头的时候，吉利哥哥微微笑着，可是眼中泛着点点泪光，"我也告诉你一个秘密吧。"

如果可以选择，我宁愿没有听过这个秘密。有些秘密不能触碰不能听，听过了就会让你知道，你所执着的一切都是错的。你不能生气，你不能埋怨，你不能向这个故事里的任何一个人吐口水，因为没有人是错的。

那个接近黄昏的午后，那个静悄悄的只有鱼类的海

洋馆里，那一包满当当的左脚鞋子旁边，吉利哥哥对我说出了那个秘密，那个让他和妈妈放弃了和神奇的如愿小姑娘以及她的爸爸在一起幸福生活的秘密。

"如愿，我爸爸失去消息那么多年，不是因为他抛弃了我们，而是因为他脑子里突然多出了一个橡皮擦，把他的记忆一点点毫不留情地擦掉了。他甚至不记得自己是谁了。当他意识到自己得了这个叫阿兹海默症的绝症，无法治愈只会越来越糟糕时，他选择了远远地离开。临离开的时候，他送给了妈妈那支银笛，妈妈一直梦寐以求的银笛。自从爸爸失去消息以后，妈妈很伤心，把银笛锁起来，发誓再也不吹这支笛子。我们丝毫不知道这一切。爸爸营造了一个变心和绝情的假象，他很了解妈妈，善良但是也骄傲。阿兹海默症，不太知道对吧？美国总统里根就是和这个病战斗了十年，最后还是走了……"

我睁大眼，跟着摇摇头，嘴巴里蹦出一连串词儿："它根本不是脑海里的橡皮擦这么简单，而是一个巨大的橡皮擦，把你整个身体的线条从上帝的素描本里擦去，吹口气，只剩下一些黑屑落下……"

神奇女生
祝如愿

　　我想起那部《我脑海里的橡皮擦》，我最喜欢的纯爱电影。如果说我真有什么神奇本事的话，那也只有一点，只要是我喜欢的电影，我就能对里面的台词过耳不忘。

　　"嗯，妈妈一直说如愿是神奇的小姑娘，"哥哥由衷地点头赞叹，"第一次你就推荐了这个片子给她看，妈妈印象很深刻，所以当妈妈突然接到爸爸来信时，至少有了那么一点心理准备，对那个病的心理准备。"

　　"原来，电影里的事，真的会在生活里发生……"我喃喃地说。

　　"是的，妈妈也说，脑海里的橡皮擦的故事，不幸发生在我爸爸身上了。"吉利哥哥眼圈发红了，"爸爸在一个专门的治疗院里，一天天变成一个没有记忆的人。治疗费也有消耗殆尽的一天，医院没办法，通知了爸爸的委托律师。他们替爸爸作出了无奈的决定，卖掉房子继续治疗。因为爸爸在清醒时反复恳求过他们，他情愿死也不要让妈妈和我知道真相，他情愿我们恨他也不要豁出一切去救他。爸爸知道他的病根本是个无底洞，不想拖累我和妈妈，所以律师到我家时，没有告诉妈妈真相，只说爸爸做生意亏了急需一笔钱……我和妈妈搬离了香花桥，我们都以为从此再也和他没关系了，妈妈不再是他的妻子，我也不再是他的儿子。

　　"可是就在某个夜晚，短暂的一个闪念，爸爸突然想起来他有过一个妻子，还有一个儿子，儿子像他一样，有六个脚趾。他很爱很爱他们。爸爸抓起一支铅笔，像跟谁赛跑一样拼命地飞快地写了一封信：'亲爱的允典，亲爱的吉利，你们在哪里？你们肯定很恨我，因为我把你们忘了。我是把你们忘记了，可那是我万不得已的……你们想见我吗？如果我说我不成样子了你们还想见我吗？算了吧，还是把我扔在这里吧，我会毫无痛苦地走掉。在我走掉以前，只祈求你们不要恨我，好吗？我写这封信只是为了让你们不要恨我。这样，我才能毫无牵挂地走，无忧无虑地走。不是么？没有了回忆虽然很悲伤，可这也免去了过去生活里所有痛苦的回忆……最后还想告诉你们，今天，当我像一个溺水的人抓住了一根稻草，在浮出水面短暂呼吸的片刻，我无比清晰地知道，在这世界上，我最爱的人就是你们，我的爱人，我的孩子。我爱你们，在我忘记以后，请你们帮

我记住好不好，永远也不要忘记好不好？'

"这封信寄到了我们原来住的地方，再转到妈妈的乐团，再辗转到了妈妈的手里。

"妈妈选择了放弃健康的你的爸爸，回到我的爸爸身边，帮他度过最难也许是最后的一段人生光阴。让一个爱你的人完全忘记你，最好的办法就是让他恨你。所以妈妈编了那样的借口，就像当初我爸爸的做法一样。妈妈知道这很残酷，可是我们只能对不起你们了！

"如愿，对不起。如果没有这样的不幸，我和妈妈，你和爸爸，我们真的可以成为一家人，完整的美满的一家人。可惜，我们不能让如愿你如愿了。"

我不停地咽着口水。知道了那么悲伤的真相，我只有加倍的伤心。伤心着阿姨和哥哥的伤心，更伤心着自己的伤心，因为我再也不可能有什么理由让阿姨和哥哥回家了。

"还给你，哥哥！"我把一大包鞋子往吉利哥哥手里一塞，用力挤出一个大大的笑容，"还记得我们一起看的《流星花园》吗？里面的藤堂静说：'每个人都应该有双好鞋，它会带你去最美好的地方。"

　　说完这句话，我扭头就跑，根本不顾吉利哥哥在后面的呼喊。我跑得飞快，跑得比谁都快，好像就这样一直跑一直跑，就会把眼泪都挥发掉。

　　不知跑出去多远，我终于停止了抽泣。亲爱的吉利哥哥，亲爱的左脚哥哥，不管我如何舍不得你，还是要把所有鞋子还给你，放你走，放你离开我的生活。

番茄死了以后
还是番茄

　　我回到了家里，回到了木头人碟片行。我什么也没有说，爸爸也什么都没问。

　　既然是我一个人回来的，也许爸爸绝望地感觉到，这个叫如愿的女儿似乎失灵了，再也不能创造那种命运的奇迹了。

　　我只是觉得不要告诉爸爸的好，因为如果知道真相，爸爸的伤心至少是我的两倍。

　　以后的生活，就像之前的日子的拷贝。爸爸不修边幅，整天坐在店里看碟片，在别人的世界里做着自己的梦。

我在碟片店里干活，特别勤快，像一个小妇人那样，贴海报扫地擦地板甚至做饭，一刻也不闲着。我擦着墙壁上的木偶，以前都是允典阿姨擦的。现在，王子染上了灰尘，睡美人公主停止了微笑，他们的爱情童话在阿姨离开的那个瞬间消失了。

"王子吻醒了你，为什么你最后还要走呢？"我小声问睡美人。

"爸，醒醒，抬抬左脚，再抬抬右脚。"我拖着地，爸爸坐在沙发那里，看着看着碟片就瞌睡起来。

爸爸瞌睡的样子，真像墙壁上的那排木头人，没有一点生气。

我放下拖把，倒了一杯凉开水给爸爸。爸爸揉揉眼睛，端起杯子，有一口没一口地喝，哈欠连天。

我看不下去了，一屁股坐到爸爸旁边，又一次打开了我的台词库："杯子里的白开水，你放糖就是甜，放盐就是咸，喝下去水还是水，不同的只是味道。这就要看喝水的人了，你是喜欢味道还是喜欢水？"

爸爸一个哈欠打到一半，缩了回去，疑疑惑惑地看着我。

　　"爸爸，允典阿姨走了，吉利哥哥也走了。忘掉他们，干干净净地忘掉他们！"我撑开一个大大的笑容，"我们只要继续以前白开水一样的生活就可以啦！"

　　咕嘟咕嘟，爸爸一口气喝光了一杯子白开水，对着我也撑开了一个大大的笑容，说："味道不错！"

　　说真的，我还是一点也不想忘记从前的那些日子。我的记忆又不是黑板擦，想擦干净就擦干净。或许有一天，真的能把所有的悲伤都忘掉，只留下快乐，然后如愿父女再和允典母子再相见吧。

　　居委会里的好心大妈看不惯爸爸这么消沉。她们都是从小看爸爸长大的。她们做主要给爸爸介绍女朋友。

　　爸爸问我："如愿，你还想要一个新妈妈吗？"

　　我摇摇头："我不想要。"

　　两个人也能生活得很平静，没有特别的快乐，至少也没有了特别的痛苦。为什么非要三个人或者四个人？为什么要把心填得满满的然后又一下子抽空？

　　就在某个平静的黄昏，接近夏天的那个月份，店里的电话响了。

我拿起电话："喂，你好，木头人碟片行。喂，喂……"

那头，许久没有声音，只有一阵阵喘气声。

"吉利哥哥？"我试探着叫了一声。

依旧沉默，沉默。

"左脚哥哥？"我着急地喊了一声。

嘟嘟嘟……对方挂了电话。

我想也没想，飞快地拨了一串号码。

电话那头传来哥哥的声音："如愿，爸爸走了！真的走了！"

我的呼吸开始变形，电话从我手中滑落，我跌坐在地板上。

正在整理碟片架的爸爸看到我这副样子，飞奔过来一叠声叫："如愿，怎么啦怎么啦？"

"橡皮擦，橡皮擦，"我喃喃道，"爸爸，还记得那个大年夜，我们一起看过的《脑海里的橡皮擦》吗？当时我还是觉得这只是电影，现实里是不太可能的。要不，脑海里有了一个橡皮擦的秀珍太可怜，被她完全忘记了的爱人哲庶更可怜。"

　　爸爸默默变了脸色："告诉我，是你允典阿姨发生了什么事吗？"

　　"电影里那样不幸的事情，真的落在允典阿姨头上了。"我低声说，"允典阿姨成了可怜的哲庶……"

　　我一点一点说出了那个真相，允典阿姨和吉利哥哥离开我们的真相。吉利的爸爸脑子里有了一个橡皮擦，阿姨选择了离开健康的爸爸，去照顾那个失去记忆的人。

　　爸爸的呼吸开始变形，一下一下，他手指打着颤，一下一下拨出去一个号码。

　　电话通了。

　　"允典，是我。"爸爸嗓音嘶哑，"对不起，真的对不起……"

　　那头传来允典阿姨的声音，那么温柔，又那么悲伤："对不起，真的对不起……"

　　两个大人在电话的两头，只会一遍又一遍对对方说对不起。爸爸泪流满面，允典阿姨泣不成声。

　　"阿姨，谁也没有对不起谁啊！"我把爸爸手里的电话接了过来。

爸爸一悲伤，就更像木头人，一点也不会安慰悲伤中的阿姨。

"如愿，我们更对不起你！想想你把我们的鞋子都藏起来了，我们还是硬着心肠走了。阿姨都不敢回头，我都听到你心啪嗒碎掉的声音了……"阿姨听到我的声音，哭得更厉害了。

我吸吸鼻子说："阿姨，我早就原谅你了。上次来见过吉利哥哥以后，对了，我还看到了吉利爸爸的背影，我就一点也不怪你了。回来以后，我又在我的台词宝库里找到一句话，对我特别管用：'记住该记住的，忘记该忘记的。改变能改变的，接受不能改变的！'"

"记住该记住的，忘记该忘记的。改变能改变的，接受不能改变的！"允典阿姨小声地跟着念了一遍，慢慢止住了哭泣，说，"如愿，真的挺管用。"

平静下来的允典阿姨告诉我，吉利的爸爸走时，彻底忘记了所有爱他的人，没有一点牵挂和痛苦地走了。

"其实，这样挺好的。"我含着眼泪笑，啪嗒，一朵泪花跟着盛开。

"嗯，挺好，真的。"阿姨说。

接着，我也听到那边有泪花盛开的声音。

"阿姨，我想和吉利哥哥说话。"

"喂。"哥哥接过了电话，鼻音很重。

"哥哥，我们一起看过的韩剧《汉城奇缘》，你还记得吗？最近电视台在重播呢。"我努力用平常甚至有点欢快的声音说。

爸爸惊讶地看着我，眼神里有一点责备。这样伤心沉重的时候，我居然还有心思和哥哥讨论一部喜剧风格的偶像剧。

"喔。"哥哥果然也没有什么心思。

"记得金喜善扮的那个女主角汉妮吧，还有里面的男主角叫胜俊？"我不气馁，继续启发哥哥。

哥哥"嗯"了一声。

"如愿！"爸爸急了，伸过手来要抢话筒。

我转身，紧紧抓着话筒，对着那头的哥哥说："这两个人有一段对话，我记得特别牢。汉妮问胜俊：'你知道吗？人死了以后就会变成星星，星星死了以后就会变成番茄。'胜俊问汉妮：'那番茄死了以后呢？'汉妮回答他：'你还不知道啊？Tomato倒过来还是

tomato，所以番茄死了以后还是番茄呀。'"

　　"哥哥，我知道你得到了爸爸又失去了爸爸，一定很痛苦。可是，"我越说越快，感觉声音在发颤，"爸爸能够回来真好，让你知道了他其实是世界上最好的爸爸。所以，爸爸走了还是爸爸，他一直活在你心里，再也不会离开啦！"

No.33
幸福很神奇也很难

　　晚上，我想哭又想笑，怎么也睡不着。我抱着枕头，在大大的床铺上，翻了一圈又一圈。睡不着的我清清楚楚听到隔壁房间，爸爸也在床上翻来翻去。我们俩像爸爸表演过的孙悟空，比赛一样在床上不停不停地左翻右翻。

　　"爸爸，"我索性坐起来，贴着墙壁问，"我们，我们去把允典阿姨和吉利哥哥接回来好不好？"

　　等了好一会儿，爸爸那边没有声音。

　　"爸爸，爸爸，爸爸……"我嘭嘭地敲墙壁。

　　一扭头，房门打开了，爸爸走到我床边。

　　"爸爸还喜欢允典阿姨吗？"我仰头看爸爸的眼睛，"我想她，也想吉利哥哥。我特别想念一家四口在一起的日子。那时我才是神奇的小姑娘，因为我得到了'被捧在掌心里的幸福'。"

　　"如愿，幸福很神奇，也很难。"爸爸坐到我床边，轻轻抚摸我的头发，"我们都还需要时间。生活不能像放碟片，快进也许会卡住的。"

　　"喔。"我有点脸红。

　　作为木头人碟片行的小姑娘老板，看碟片记台词成了我生活的重要部分。我喜欢一边看碟片一边快进，把曲折痛苦的过程统统快进，直接跳到我喜欢的结局。因为太喜欢看那些美满幸福的结局，我一次次地快进快进，店里有一堆片子就是这么被我"看坏"了。

　　"有些事情，需要慢镜头，才能更好地过去。"爸爸拍拍我脑袋。

　　"睡吧，明天还要上学！"爸爸拉开被子，把我赶进被窝。

　　"爸爸，"我从被窝里伸出了大拇指，做了一个用力摁键的姿势，"那么，我们先摁play键好不好？"

"好的.晚安！"爸爸笑得很爽朗，真像牙膏广告里牙齿雪白、肤色黝黑的老帅哥。

接下来的日子就像慢镜头，一件事接一件事，一个场景接一个场景，慢慢摇过。

我和爸爸参加了吉利爸爸的葬礼。

我第一次看到吉利哥哥的爸爸，一个酷似吉利哥哥的伯伯，戴着眼镜，在大幅照片里微微仰头看着远方，眯缝着眼睛，笑得从容又温暖。

允典阿姨和吉利哥哥身着黑衣，并肩站在那个温暖的笑容下，神情悲伤，但不是那种和黑衣服一样的黑压压的悲伤。

亲朋好友一一和他们拥抱，无不感动地对允典阿姨说："谢谢，谢谢。"

他们知道陪伴着一个阿兹海默症的病人有多么艰难。每时每刻，允典阿姨和吉利哥哥身心都受着痛苦的煎熬。

"把迷路的人带回家是我的责任。"允典阿姨说。

"我只感到幸运，爸爸还是记得回家啦，让我能够最后

送走爸爸！"吉利哥哥说。

他们都没有泪水，只有静静的笑容。

轮到我和爸爸走上前和他们拥抱了。爸爸轻轻抱抱阿姨。我轻轻抱抱哥哥。有一种温暖，让我们心意相通。

阿姨和哥哥送我们到门口。说过再见后，爸爸头也不回地就走。走了几步，他忽然站住了。

我的心嘭嘭跳起来。

爸爸转过头，定定地看着允典阿姨，说："允典，你要好好的！"

阿姨笑了，泪光一闪，两只小酒窝浅浅地冒了个头。

爸爸每天都准时开店，关店，沉默而认真地工作，很少瞌睡，只是沉思的时间开始增多。

隔两三天，最多四五天，他会和允典阿姨通个电话，说话的口气，像温柔的老朋友。

"允典，还好吗？没事不要闷在家里，有空就出去透透气。"

"允典，刚逛街回来呀。买了米色的裙子吗？真不错呀，我觉得你最适合米色了。"

"允典，怎么停电了？别急，楼道灯应该还有的，跺下脚应该就会亮，看看是不是跳闸了。"

"允典，最近在找工作啊？不太顺利吗？不要着急，一定找和你演奏水平相当的乐团。"

我在一旁忍不住叫起来："阿姨回来吧！"

爸爸的回答让我沮丧："阿姨说，这边的乐团已经找到新的长笛手了。"

"不要着急，最好的机会总会在最不经意的时候出现！"我马上从我的台词宝库里找到了一句打气金言。

永远幸福地在一起

允典阿姨突然出现在木头人碟片行。

当那两只小酒窝突然跳到眼前时，我大叫一声"阿姨"，惊喜得差点从凳子上滑下来。

爸爸给阿姨泡了她最喜欢的祈门红茶。艳而不俗的红色，沉潜温厚的香味。阿姨捧着茶杯，抿了几口。爸爸一直笑眯眯看着她喝茶。

恍惚之间，我差点以为又回到了从前的好日子。阿姨下班总是先到店里来拐一拐。爸爸端上她最喜欢的红茶。两个人说上一会话，阿姨把茶杯一放，用轻快的语调说："好了，我回家做饭去啦，你们早点回来吃饭噢！"

只是现在他们两个人面对面，而不是像过去那样肩并肩坐着。

"我收到了香港那边的工作邀请。"阿姨终于开口说了第一句话。

"好啊！"爸爸说得很大声，"是个好机会。"

"你觉得是吗？"

爸爸点头："对吉利的教育也好。"

阿姨跟着点点头："知道了。"唇边的小酒窝又跳出来了，清甜清甜。

爸爸有点发呆。

我想跳到他们中间，手一拦说："阿姨留下来吧，阿姨不要到香港去！"

可爸爸说过，大人之间的事情，有时需要慢镜头，快进，也许反而会卡住。所以我还是什么也不能说，我再也神奇不起来啦。

"对了，"阿姨想起什么似的，从包里掏出一个丝绒小盒子，打开来，是一只大大的男士手表。

"我记得你的表是老式表，你老忘了给表上发条，所以老是会停。"阿姨把盒子递到爸爸眼前，"这个是全自动的。不过就算全自动，也要记得经常戴着，老是不戴它的话，它照样也会停的。"

爸爸感觉有点意外，懵懵懂懂地接了过去。

"我想来想去，还是选了圆的。我觉得，手表就该是圆的。不是吗？"阿姨放下茶杯站了起来，快步向门外走去。

"生日快乐，如愿先生，再见！"小酒窝一闪，阿姨跟着不见了。

爸爸拿着手表，呆呆地注视着门口。阿姨走了，喝了少少几口茶，讲了短短几句话，像个来不及细看的快镜头，一闪而过。

"爸爸！"我跺着脚叫，"阿姨走啦！"

爸爸像个木头人一样站在原地，自言自语："也许，好朋友比爱人更加天长地久。"

日子在继续，是慢镜头。

爸爸继续隔两三天给允典阿姨打个电话。我们知道阿姨工作的事情不断在进展着，在办签证了，在准备行

李，订好机票了，明天就要出发啦，真的不用送啦。

"如愿！"允典阿姨要走的那天，爸爸瞅着手腕上阿姨送的表发了半天呆，忽然问我，"那天允典阿姨来的时候，你记得，她说再见以前说的是什么话吗，就是手表圆不圆什么的？"

神奇小姑娘马上显示过耳不忘的本事，学着阿姨的腔调："我想来想去，还是选了圆的。我觉得，手表就该是圆的。不是吗？"最后一句反问，我连阿姨柔柔的语气都学得惟妙惟肖。

"哎呀！"爸爸叫起来，猛拍自己的脑袋，"我真迟钝呀，我真的笨死啦！"

他看看手表，跳起来，拉起我，飞快地拉上店门："快，下午五点的飞机，我们去把他们追回来！"

"爸爸？"我又惊又喜，他怎么在最后一刻突然想通啦？

我从来没见过爸爸这么心急过。接下来的事情，就变成快进速度啦。

我们直接打车去浦东。一进市中心就开始堵车，爸爸当机立断马上跳下来换地铁，坐一号线然后换二号线

到浦东再打车。

地铁经过常熟路、淮海路、黄陂南路、人民广场，又出站顺着人流走进二号线，沿线经过河南中路、东昌路、陆家嘴。地铁缓缓从地道里驶出。我们又跳上了出租，前方是一片光明，人来人往，车水马龙，高楼公路。

爸爸不停地看手表，嘴巴里念念有词："允典，允典，走慢点，走慢点，你一定会等我的是不是，是不是？"

赶到浦东国际机场，已经将近四点半啦。我和爸爸跑到大厅里四处张望。还是我眼尖，先找到了阿姨他们那班飞机的登机口。

我和爸爸冲下楼梯，飞奔过去。接下来，所有的场景真的很像某个烂熟的偶像剧。

登机口这边全是人，一个个人进去，一个个人道别，机场像是把所有悲伤和喜悦都收了进去。

爸爸仰着脖子找着熟悉的人头。我低下头去看那一只只穿着鞋子的脚。

　　"吉利哥哥！"我率先找到，第五列队伍第五个人，那只特别的左脚，眼看不久就快轮到啦。

　　"如愿！"排在第六个的允典阿姨探出了脑袋，声音里有不能置信的惊讶。

　　我连滚带爬地跑过去，张开双臂，紧紧圈住吉利哥哥的腰："哥哥，不要走！"

　　爸爸一个箭步冲上去，张开双臂，把允典阿姨整个圈在他怀里："允典，不要走！你送我手表，我一切都明白啦！"

　　"明白了什么？"小巧玲珑的阿姨伏在爸爸胸前，抬头问道。

　　"你知道表为什么是圆的吗？"爸爸撸起袖管，露出了允典阿姨送他的表，高高举起，亮出大大的圆圆的表盘，"你觉得到头了，它还是会再次开始的。所以，我们重新开始吧！"

　　阿姨抿起嘴巴笑了，嘴边两只小酒窝从来没有这么深这么甜过。

　　啊，啊，我和吉利哥哥都张大了嘴巴。看了那么多碟片，如愿先生终于平生第一次念出了最正确的台词！

　　我松开双臂第一个鼓掌，吉利哥哥也跟着鼓掌。啪啪啪啪，人群稍微静了一静，跟着爆发出由衷的掌声。

　　然后有人问："轮到你们啦，还走不走？"

　　"不走啦！"爸爸一手拉着允典阿姨的行李箱，一手抓牢她的手，"我们回家！"

　　我稍微一拉，吉利哥哥也跟着乖乖离开了登机的队伍。

　　"哥哥，等一等！"我蹲下来，帮吉利哥哥把两只鞋带绑结实了，先是右脚，然后是左脚，然后我站起来说，"哥哥，我们再玩一次吧？"

　　"什么？"

　　我右脚单脚独立，用手牢牢搭住吉利哥哥的肩膀，那只因为快乐而微微颤动的肩膀。

　　"哥哥，快出你的左脚！"我声音欢快。

　　允典阿姨和爸爸手拉着手走在前面，我和吉利哥哥手搭着手，肩膀挨着肩膀，你撑着我，我撑着你，在机场大厅里一跳一跳地向前，向前……

　　"哥哥，刚刚一路上，你知道我许了个什么愿吗？"

"什么愿？"吉利哥哥问。

"我对自己说，如果一只鞋子走了，一只鞋子哪怕找遍世界每个角落也要走到另一只鞋子面前，狠狠地说：'让我们在一起，再也不要分开了！'"

"如愿，"哥哥用力摁摁我肩膀，"我们再也不会分开啦！"

"嗯，一家人，有爸爸，有妈妈，有哥哥，有妹妹，永远幸福地在一起，永远！"

你们看，只要心有所想，最后都能心想事成的。

我从来不曾这样乐观地相信过自己，因为我是神奇女生祝如愿。不是吗？

图书在版编目（CIP）数据

神奇女生祝如愿／郁雨君著.—济南：明天出版社，
2008.5（2011.1重印）
（辫子姐姐心灵花园）
ISBN 978-7-5332-5711-8

Ⅰ.神… Ⅱ.郁… Ⅲ.儿童文学－长篇小说－中国－当
代 Ⅳ.I287.45

中国版本图书馆 CIP 数据核字（2008）第 060631 号

辫子姐姐心灵花园
神奇女生祝如愿

郁雨君 著

※

明天出版社出版发行

（济南市经九路胜利大街 39 号）

http://www.sdpress.com.cn

http://www.tomorrowpub.com

各地新华书店经销 山东临沂新华印刷物流集团有限责任公司印刷

※

155×200 毫米 32 开 9 印张 118 千字 4 插页
2008 年 5 月第 1 版 2011 年 1 月第 11 次印刷
印数：136663－146662

ISBN 978-7-5332-5711-8

定价：16.00 元